이 책을 우리의 친우

강유빈, 김예솔 연주자에게 헌정함

드림 포:레스트

김흔 | 망우

Contents

목 차

FairyTale 01.

A. 무반주 파르티타 A단조

눈이 뻣뻣해지는 듯하더니 이내 은근한 두통이 밀려왔다. 잠시 눈을 감았다 떠봐도, 엄지와 검지를 눈에 가져다 대고 지그시 마사지를 해봐도 달라지는 건 없었다. 결국 A는 마주하고 있던 캔버스에 신경질적으로 붓을 던지고는 자리를 박차고 일어났다. 사방으로 물감이 흩뿌려지면서 테레핀 냄새가 은근하게 피어올랐다. 누가 보더라도 꽤 그럴싸한 태를 갖추어가던 캔버스 위의 그림은 무질서하게 새겨진 얼룩으로 더 이상 손을 쓸 수 없을 것만 같았다. A는 대수롭지 않다는 듯 손으로 이마를 짚으며 만듦새가 엉성한 목제 스툴을 적당히 발로 걷어낸 뒤 거실로 나왔다.

거실 테이블 위 라디오에서는 바흐의 <플루트 독주를 위한 파르티타>가 흘러나오고 있었다. 아름다운 선율이었지만 단선율의 악기가 반주조차 없이 몽환적인 멜로디를 연주한다는 게 마치 자신의 상황인 것 같아서—어쩌면 비슷한 상황 속에서도 플루트의 선율은 아름답게 울려 퍼지는 데 반해 자신은 그렇지 못하고 있다는 생각에 뱃속에서부터 거북함이 올라왔다. A는 버튼을 눌러 라디오의 전원을 꺼버렸다.

적막.

그렇게 A의 외로움을 달래줄 유일한 동무마저 사라져버렸다. 거실 창으로 들어오는 어슴푸레한 달빛이 아니었다면 A를 둘러싼 모든 세계가 사라져버렸다고 해도 이상하지 않을 것만 같았다.

　"돈이 좀 들더라도 차라리 TV를 살걸. 요즘 같은 세상에 라디오라니……"

　A는 픽 하고 실소를 터뜨렸다. 뭐가 재미있어서라기보다는 지금의 상황에서 드는 후회가 고작 그런 것이라는 게 우스웠던 것이다.

　A는 아무것도 없는 거실 한복판에 덩그러니 놓인 침대로 가 그대로 쓰러졌다. 눈을 감고 한쪽 팔을 눈 위에 올려두기는 했지만 잠들고 싶지는 않았다. 대신 이런 궁지에까지 내몰릴 수밖에 없었던 자신의 지난 삶과 희미해져만 가는 꿈을 생각했다. 자꾸만 자신을 어디론가 데리고 가려는 꺼림칙한 꿈보다는 백일몽에서부터 밀려오는 회한을 온몸으로 마주하는 편이 나았기 때문이다. 그것은 이곳에서의 생활을 시작한 지 얼마 지나지 않았을 때부터 생긴 하나의 습관이었다. 그게 이 꿈에 대한 것이든 저 꿈에 대한 것이든.

A가 이곳까지 흘러들어오게 되기까지는 꽤나 긴 여정이 있었다.

많은 이들의 축하와 관심 속에서 성공적으로 치러진 졸업 전시회, 그 이후에도 그녀는 여러 전시회에 그림을 보내며 커리어를 쌓아갔다. 자신의 이름 석 자와 함께 본인의 그림이 인쇄된 팜플렛, 그리고 그걸 보러 갤러리를 찾아오는 사람들. 모든 상황이 그녀를 위해 흘러가는 것처럼 보였다. 문제는 그게 전부였다는 거지만 말이다.

"작가님의 작품은 정말 좋아요. 독특하고, 어떻게 이렇게 강렬한 붓 터치를 사용하면서도 부드러운 인상을 줄 수 있는지."

하며 누구 하나 칭찬을 아끼는 사람은 없었지만 정작 그녀 앞에서 혀를 내둘렀던 사람의 거실에는 다른 작가들의 작품이 걸렸다. 한두 해 정도였다면 A 또한 그걸 문제라고 생각하지는 않았을 것이다. 아무리 그림이 좋았다고 한들 대학을 갓 졸업한 신출내기 작가일 뿐이지 않았던가. 그림이 휙휙 팔려나가지 않는 게 오히려 당연한 일이었다.

"음……자네 그림이 나쁘다는 건 아니야. 허나 요즘 트렌드에 안 맞는 부분이 있는 것도 사실이지."

A의 지도 교수부터 갤러리의 관계자들까지 그녀의 그림

을 마주한 사람들의 의견은 그 표현방식만 조금씩 다를 뿐 대부분 비슷한 지점으로 모아졌다.

"당장은 내키지 않을지 몰라도 때로는 타협해보는 것도 좋은 방법이 될 수 있지. 본인의 그림은 언제든 그릴 수 있을 테니까 말이야."

"여기는 이렇게……저기는 저렇게……"

그들의 입맛, 아니 사람들의 입맛에 맞게 그림을 그리는 건 A에게 있어 그다지 어려운 일은 아니었다.

"훨씬 낫군."

그녀를 단숨에 유명 작가의 반열에 올려줄 정도까지는 아니더라도 섭섭지 않을 정도의 보수로 그녀의 통장을 채워주는 것쯤은 쉽게 이루어줄 수 있었다. 단 한 가지, 그들의 말마따나 내키지 않았다는 게 문제라면 문제였지만 말이다. 그래도 괜찮았다. 적어도 그 사람들의 이야기를 듣기 전까지는 괜찮은 줄로만 알았다.

언젠가 갤러리를 방문했던 젊은 부부였다. 누구인지 정확히 기억나는 것까지는 아니더라도 A에게도 꽤 낯이 익었던 관람객이었다.

"몇 년 전까지만 해도 이 작가 그림 참 좋았는데."

"그러게, 지금도 좋기는 한데 뭔가 아쉽단 말이지."

"응, 뭐랄까 분명 잘 그린 그림인 건 맞는데 다른 그림들과의 차이를 모르겠달까? 확실히 색깔이 없어진 것 같아."

그렇게나 다양한 색깔을 사용했는데도 색깔이 없어졌다니. 아이러니한 일이었다. 그 뒤로는 정말 본인의 색깔이 무엇인지 A 자신조차도 확신할 수가 없게 되었다. 더 과감한 붓터치, 더 강렬한 색채, 그럼에도 불구하고 모든 게 잿빛이었다. 과거 자신의 그림을 모작하기도 해보았으나 겉보기에만 같은 모양의 그림일 뿐, 예전의 그 느낌은 어디에도 남아 있지 않았다.

"아무래도 이제부터는 제 그림을 그려야겠어요."

결국 며칠을 고민한 끝에 A는 갤러리의 관계자들에게 그렇게 엄포를 놓았다. 다시 본인의 그림을 추구하다 보면 영광스러웠던 그 시절로 돌아갈 수 있을 것이라는 믿음 때문이었다.

"지금까지 그림은 네 게 아니었고?"

황당하다는 듯 되묻는 담당자의 질문에. A는 별다른 대답을 하지 않았다. 한동안의 침묵. 잠시 뒤 담당자는 다시 입을 열었다.

"네 그림 좋지. 나도 찬성이야. 개성 있는 작가들의 그림이 많아진다는 건 갤러리 입장에서도 좋은 일이니까. 다만 아직은 때가 아니야. 네 개성이 뚜렷하고 매력 있다는 것도 알아. 그러니 우리도 너와 계약을 했던 거고. 하지만 조금 더 여물어야 할 필요가 있어."

역시 A는 말이 없었다.

"한창 물이 오르던 중이었잖아. 네 그림 사겠다는 사람도 많아지고 있었고."

결국 말을 잇는 건 담당자 측이었다. 그는 A를 타이르듯 이야기했다.

"이 좋은 기회를 계속 이어가는 게 현실적으로도 낫지 않겠어?"

"그래서 계속 그리라는 대로만 그리라고요? 저는 그런 복사기가 되고 싶지는 않아요."

한참 만에 나온 A의 대답. 확신에 찬 강렬한 목소리, 그러나 그녀의 두 눈은 어딘가 불안하다는 듯 미세하게 흔들리고 있었다. 그녀의 반응에 담당자는 나오려던 말이 목젖 끝에서 막혔던 건지 이내 말을 삼키고는 체념했다는 듯 다른 말을 꺼내왔다.

"그래, 좋을 대로 해봐. 어쨌든 작가는 너니까."

A는 작업실로 돌아와 작업을 시작했다. '복사기로서 그려내는 출력물이 아닌 자신의 그림'을. 당연히 그 작업이 잘 될 리가 만무했다. 캔버스 위에는 물감만 치덕치덕하게 발라둔 어떠한 형상만 남아 있을 뿐이었다. 갤러리를 찾아준 사람들도 더 이상 그녀의 그림 앞에 머물러주지 않았다. 결국 얼마 가지 못해 그녀는 그 갤러리를 나와야만 했다. 그것은 그녀가 생각했던 목적지와는 반대되는 원치 않는 한 걸음이었다.

그렇다고 A가 무너진 것은 아니었지만 뒤로도 별반 다를 게 없는 삶의 반복이었다. 그녀는 계속해서 작업을 했고 그 작업물들과 그간의 포트폴리오를 여러 갤러리와 공모전에 보냈다. 상업적 가치가 있는 것도, 뛰어난 의미나 개성이 있는 것도 아닌 그저 신출내기에 가까운 작가의 자기 모작쯤 되는 그림을 좋아해줄 곳은 어디에도 없었지만 말이다.

주변인들에게 조언을 구해보기도 했으나 그다지 도움이 되지는 못했다. 조언이라기보다는 눈치 없는 참견과 훈수. 그저 잡음일 뿐이었다. 그것들을 쳐내는 것도 일이라면 일이었다. 갤러리와 계약을 맺고 한창 작품 활동을 시작할 때는 이래저래 들러붙는 사람들도 적지 않았는데 정작 일이 이렇게 되니 주변에 남아 있는 사람은 아무도 없었다. 누구를 만나든, 무슨 이야기를 나누든 그저 공허했다.

그즈음부터 A는 그 누구도 간섭하지 못할, 오로지 자신만을 위한 공간을 갈망하기 시작했다. 그렇게 A는 이곳으로 오게 된 것이다. 교외 외딴 지역의 딱 적당한 투룸. 세간을 많이 준비하지는 않았다. 화구 일체와 1인분의 식기 정도가 끝이었다. 그리고 가끔 적적함을 달래줄 작은 라디오 하나. 굳이 텔레비전을 들이지는 않았다. 공간이 여의치 못했던 것도 있었으나 세상의 간섭에 진절머리가 나 들어온 이곳에서 텔레비전까지 들이는 건 해악이라고 생각했던 것이다.

FairyTale 01.

B. 컨베이어 벨트는 오늘도 흘러간다

　규칙적으로 튜브형 선크림이 검은색 컨베이어 벨트를 타고 B의 앞으로 밀려왔다. 눈빛의 초점이 사라진 그녀는 기계처럼 선크림 하나를 집어, 준비된 상자에 담았다. 그녀 앞에 선크림 박스가 차곡차곡 쌓여가고 시간도 째깍째깍 흘러갔다. 점심시간을 알리는 음악이 먼지가 잔뜩 쌓인 스피커를 통해 흘러나왔다. 그제야 초점이 돌아온 그녀는 저린 다리를 쭉 펴고 굽었던 등에서 뼈 소리가 날 때까지 기지개를 켰다. 1분도 안 되는 시간이었지만, 주위 작업자들은 이미 멀어져 있었다. 그들을 힐끗 확인한 그녀도 일정한 거리를 유지하며 발걸음을 옮겼다.

'내가 지금 여기서 뭘 하는 거지?'

차가운 은색 식판에 고춧가루가 건성으로 달라붙어 있는 김치와 계란옷이 대부분 벗겨진 분홍 소시지 몇 개, 말라비틀어진 불고기, 두부와 시래기의 잔해가 둥둥 떠 있는 된장국을 담아 구석에 앉았다. 처음 입사했을 때는 새로 들어온 사람이 궁금한지 몇몇이 함께 밥을 먹자고 권유했었다. 하지만 몇 번 거절하자, 흥미가 떨어졌는지 더 이상 그녀에게 밥을 먹자고 하는 사람은 없었다. 그래도 그녀는 이 시간이 가장 좋았다. 복지랍시고 식사 시간 동안에 음악을 틀어줬기에 가끔 그리운 음률이 들려오면 삭막한 이곳에서도 그 감성에 젖을 수 있었다.

'이 노래가 나올 줄 몰랐는데, 오늘 선곡 좋네.'

머릿속으로 코드를 그리며 흡연장으로 천천히 걸어갔다. 담배 하나를 입에 물고 불을 붙였다. 식당 밖으로 나와 음악 소리가 작아졌지만, 오히려 그 소리가 그녀를 추억 속으로 잡아당겼다.

B의 고향은 고요가 아니라 적막하다고 표현해야 할 정도로 아무것도 없는 시골이었다. 그래서 그곳 아이들은 놀것을 찾아 옆 동네로 놀러 가곤 했다. 그곳도 시골이었지만, 그녀의 고향에 비할 바는 아니었다. B는 타지역 고등학교에 입학하는 친구와 추억을 쌓기 위해 익숙한 213 버스를 타고 옆 동네에 놀러 갔다. 맛있는 음식을 먹고, 카페에 가고, 코인 노래방에서 노래도 부른 그녀와 친구는 헤어지기 아쉬워 발길이 닿는 데로 거리를 헤매다 영화관으로 들어갔다. 무슨 영화를 볼지 생각도 안 한 그들은 상영 중인 영화 중에 시간이 가장 가까운 영화를 골랐다.

　그로테스크한 영화 포스터와 다르게 영화의 내용은 감동적이었다. 시골에서 나고 자란 순진한 청년이 메탈 밴드의 공연을 보고 거기에 매료되어 기타를 배우고 친구들과 함께 도시에서 버스킹을 하는 내용이었다. 어딘가 하나씩문제가 있는 친구들의 도전은 가슴 한쪽에 뭉클한 감정을 피워내기 충분했다. 멤버들 모두 각자의 매력이 있었지만, 그녀는 밴드 멤버 중 실력에 비해 자신감이 현저히 부족한 에이미에게 눈길이 갔다. 특히 조용하고 소심한 탓에 부당한 일을 당해도, 하기 싫은 일을 시켜도 묵묵히 참던그녀가 도시로 떠나는 걸 말리는 부모님과 크게 싸우는

장면은 자기 자신을 돌아보게 해 더욱 몰입하게 만들었다.

영화의 하이라이트 부분인 길거리 버스킹에선 덜덜 떨기만 하던 주인공이 친구들의 웃는 얼굴을 보고 이내 제 실력을 보이며 행인들의 발걸음을 멈추게 하는 모습을 볼 땐 B도 모르게 자리에서 벌떡 일어날 뻔했다. 영화가 끝나고 친구와 헤어지는 와중에도 머릿속엔 그 장면으로 가득 차 심장이 미친 듯이 뛰었다. 그녀는 그때 처음 자기 심장도 이렇게 빨리 뛸 수 있음을 느꼈다. 집으로 돌아온 그녀는 앞뒤 없이 부모에게 베이스를 사달라고 말했다.

영화의 대표 OST가 아웃트로에 가까워지며 베이스의 여운을 남기고 음악이 끊겼다. B는 허공에서 보이지 않는 줄을 운지하던 손가락을 털어내고 주머니에 쑤셔 넣었다. 마음 같아서는 한 대 더 피우고 싶었지만, 시간을 확인한 그녀는 다시 담배를 주머니 깊숙한 곳에 넣을 수밖에 없었다. 자리로 돌아온 그녀는 이내 초점을 지우고 벨트를 따라 움직이기 시작한 선크림들을 향해 손을 뻗었다. 집고, 담고, 포장하고 그 구역에 있는 모든 이들이 일제히 움직였다. 살기 위해 일하는 이들은 아름다운 법이지만, 그녀는 자기 모습이 아름답지 않다고 생각했다. 오랜만에 꿈을 생각나게 하는 음악을 듣고나니 과거의 편린이 스멀스멀 기어 올라왔다. 이내 초점이 돌아온 그녀는 지루한 시간을 생으로 버텨야 했다.

의식적으로 시계를 보지 않으려 했지만, 고개는 틈틈이 돌아갔다. 멍한 상태가 되려고 노력도 해봤지만, 부질없는 짓이었다. 그녀는 이왕 이렇게 된 거 후회하는 시간을 가지기로 했다. 이 또한 부질없는 짓인 건 마찬가지겠지만, 멈춘 것 같은 시간을 쉽게 보내는 방법 중 이만한 게 없었다. 그녀의 후회는 언제나 한 문장으로 시작했다.

'동아리 활동을 하는 게 아니었어.'

B는 대학교에 갔다뿐이지 수업은 거의 듣지 않았다. 지각도 하고 때때로 바람이 향긋한 날엔 강의도 빠졌다. 그녀가 학교에 가는 큰 목적은 오로지 동아리 활동 때문이었다. 친절하게 다가오는 같은 학번 학생들이나 엄한 표정으로 기강을 잡으려 하는 한두 살 많은 선배는 신경 쓰지 않았다. 그녀에게는 오로지 동아리뿐이었다. 그리고 그곳에는 언제나 혜정이 있었다.

"야, 우리끼리 밴드 하나 만들까? 솔직히 우리 동아리 이제 망해가고 있잖아. 조금씩만 보태면 쓸만한 연습실도 구할 수 있을 것 같던데."

술집에 갈 돈이 없어서, 캔 맥주 몇 개와 과자 몇 봉을 사서 술을 마시던 와중에 혜정이 입을 열었다. 보브컷이 묘하게 잘 어울리고, 한쪽 귀에만 귀걸이를 차고, 언제나 주머니가 달린 앞치마를 입고 다니는 혜정은 벌게진 얼굴로 맥주캔을 기울이며 말했다. B보다 한 살 많았던 그녀는 동아리에서 앨범 커버를 담당하는 미대생이었다. 그림을 잘 모르는 B도 감각적이라고 느낄 정도로 그림에 소질이 있었지만, 그보다 B에게는 보컬 쪽이 더 매력적으로 다가왔다. 평소에 어눌하게 말하는 그녀가 무대에 서서 마이크만 잡으면 카랑카랑한 목소리로 관중을 홀렸다. B 역시, 에코도 제대로 먹지 않은 싸구려 스피커가 달린 노래방에서 흘러나온 혜정의 노래 한 소절에 반해버린 상태였다.

"너는 당연히 할거지?"

나른하고 장난스러운 목소리였다. B는 0.1초의 망설임도 없이 고개를 끄덕였다. 그 자리에 있던 다른 동아리 멤버들도 동의했고, 그 자리에서 밴드를 창설했다. 동아리 때처럼 그냥 즐길 수만은 없는 상태가 되었기에 서로 피드백하는 과정에서 날카로운 말이 오갈 때도 있었지만, 그래도 차근차근 기반을 다져갔다. B는 밴드의 일정 관리와 행사 관계자와의 연락 담당, 혜정은 작곡, 작사를 담당했고 나머지 두 멤버는 혜정과 B를 물심양면 도왔다. 이런 실정에 밴드의 주축을 담당하는 B와 혜정, 그들을 서포트하는 나머지 멤버로 함께 어울리는 시간이 나뉘기 시작했다. 이러한 변화는 점점 그들 사이를 이간질했다.

"이거까지 내가 챙기면 너희가 밴드에서 하는 게 뭔데?"

다음 앨범에 들어갈 수록곡을 만드는 데 지쳐 잔뜩 예민해져 있던 혜정은 어느 행사장에서 결국 터져버리고 말았다. 그저 관중에게 나눠줄 밴드 굿즈를 차에 두고 왔을 뿐인 별것 아닌 일이었다. 그냥 차에 가서 가져오면 될 일이었다. 하지만 혜정은 평소처럼 헤실헤실 웃지도 않고 신입을 혼내는 회사 선배처럼 나머지 멤버들을 다그쳤다. B는 옆에서 눈치를 볼 뿐 그냥 언제나처럼 유야무야 넘어갈 거로 생각했다.

"사과해야겠지? 내가 왜 그랬을까? 하… 내가 생각해도 요즘 너무 예민한 것 같아."

공연이 끝나고 흡연장에서 담배를 길게 내뱉던 혜정은 머리를 헝클어트리며 B에게 말했다. 담뱃불을 거칠게 끈 혜정은 B와 함께 멤버들에게 사과했다. 하지만 이미 그들간의 감정의 골은 깊어질 때로 깊어진 상태였다.

"아냐, 우리가 너보다 한참 모자란 거지. 솔직히 우리는 너희 따라가기 벅차. 네가 써오는 곡은 연주하기 너무 어렵고, 그렇다고 미친 듯이 연습할 정도로 열정적이지도 않아. 우린 여기까지만 할게."

"야, 아니…"

혜정과 B가 오기도 전에 자기들 짐을 꺼내놓고 있었던 그들은 그대로 택시를 타고 떠나버렸다. 차 앞에서 줄담배를 태우던 혜정에게 B는 손을 내밀었고, 고민하던 혜정은 보채는 B에게 담배 한 개비를 내어주었다. 한참 콜록대는 B를 보며 혜정은 작게나마 피식 웃었다. 혜정과 밴드를 그만할 생각이 없었던 B는 숨을 고르고 오히려 잘됐다며 실력 있는 새 멤버를 구하자고 설득했다. 미묘한 혜정의 표정이 마음에 걸렸지만, 딱히 반대 의사를 표현하진 않았기에 B는 전부터 눈여겨보고 있었던 기타 두 명과 드럼 한 명에게 함께 밴드를 하자고 제안했다.

그들과 함께한 공연, 대학 생활의 추억은 조금 어긋났지만, 밴드적으로는 성공적인 변화였다. 우선 매달 고정으로 출연하는 무대가 생겼다. 멤버가 바뀌고 며칠 동안 시무룩했던 혜정의 표정도 점차 밝아졌다. B는 이렇게 계속 무대에 오르다 보면 언젠가는 록 페스티벌에 참가할 수 있을지도 모르겠다고 생각했다. 하지만 그녀의 뜻대로만 흘러가진 않았다. 관객들은 밴드를 좋아했지만, 칭찬보다는 아쉬움을 토로하는 이들도 많았다.

비속어나 비난이 아닌 언제나 '아쉽다'라는 단어로 혜정의 목을 조였다. 머리카락은 점점 퍼석해졌고, 그녀가 돌아다니는 곳이 곧 흡연장인 것처럼 담배 냄새가 혜정의 뒤를 졸졸 쫓아다녔다. 게다가 더 큰 문제는 고정으로 오르던 무대에 라이벌이 생겼다는 것이었다. 서로 조금 더 좋은 무대를 만들기 위해 경쟁하는 관계였다면 그들의 미래는 조금 달랐을지도 몰랐지만, 매 공연 아쉬운 소리를 듣는 B의 밴드와 다르게 그들의 공연은 언제나 칭찬이 가득했다. 혜정은 그 탓을 온전히 자신에게 돌렸고, 가벼운 인사말조차 어려울 정도로 예민해졌다.

자기 컨디션 관리도 하지 못해 공연 시작 전 리허설도 하지 못하고 무대에 오르는 경우가 많아졌고, 결국 다음 순서 무대였던 밴드에게 부탁해 순서를 바꾸기에 이르자, 무대를 내어주던 사장도, 다른 멤버들도 혜정을 멀리하기 시작했다. B만큼은 여전히 혜정의 재능을 믿고 그녀가 눈물을 보일 때마다 위로해줬다. 하지만 B도 모르게 점점 지쳐가고 있었다.

"너희 밴드 때문에 공연장 질이 떨어진다는 얘기가 너무 많이 나와서 이제 다른 곳 찾아봐야 할 것 같아. 지금까지 고마웠다."

행사 의뢰는 끊긴 지 오래였고, 그나마 오랜 시간 무대를 내어주었던 바의 사장님에게 최후의 통첩을 받았다. 그날의 공연은 최악이었다. 연주는 리허설과 같았지만, 보컬이 엉망이었다. 생전 난 적이 없었던 음 이탈이 한 곡에서 무려 세 번 발생했고, 도중 가사를 잊어 우두커니 서 있기도 했다. 게다가 다음 순서로 올라온 밴드가 리허설 때보다 더 잘해서 대조가 심했다. 무대 뒤에서 그들의 무대를 보던 B를 포함한 멤버들은 쓰게 웃으며 박수쳤다. 그들은 항상 축하할 일이 생기면 가던 술집으로 향했다. 축하할 일은 하나도 없었지만, 기분이라도 내고 싶은 마음 때문이었다. 자리에 앉아 술잔을 모두 채우고 건배를 하며 아쉽지만, 괜찮다는 위로의 말을 한마디씩 혜정에게 건넸다. 그러나 돌아온 혜정의 대답에 그들은 술잔을 내려놓지도 못하고 굳어 버렸다.

"나 그만할래."

"어? 야, 지금부터 열심히 할 생각을 해야지. 그만두겠다고? 너만 믿고 밴드에 들어온 애들은 생각 안 하냐?"

"누가 믿어달래? 그리고 밴드는 나 혼자 해? 너희는 그동안 뭐 했는데?"

날이 바짝 선 혜정의 말에 멤버들의 눈썹이 꿈틀거렸지만, 이내 힘을 풀었다.

"그럼, 우리가 안 한 건 또 뭔데? 작곡? 작사? 그거 네가 다 하겠다고 한 거잖아. 왜 인제 와서 그래?"

"그래서 그게 온전히 내 잘못이다?"

"솔직히 요즘 불안하긴 하지. 게다가 오늘 너 혼자 실수했고."

"솔직히? 좋아, 나도 그러면 솔직히 말할게. 내가 곡 만들 때 제일 고민하는 게 뭔지 알아? 멜로디? 가사? 아니, 너희들이 할 수 있을까야."

"야, 이혜정. 무슨 말을 그렇게 하냐! 너 오늘 예민한 거아는데, 다음에 잘하면 되는 거 가지고 분위기 더럽게 만들래?"

"아니, 다음은 없어."

혜정은 그대로 자리를 박차고 나갔다. 욕지거리가 들려오는 테이블을 뒤로하고 B는 혜정을 뒤쫓았다. 거칠게 팔목을 붙잡고 뭐라 얘기하기도 전에 눈물이 그렁그렁한 눈을 보고 B는 입을 꾹 다물었다. 혜정은 B에게 사과했다. 두서없는 말로 열심히 얘기했다. 무슨 이야기를 하는 건지 B는 이해하지 못했다. 정확히는 받아들이는 도중에 혜정이 던진 한마디 때문에 사고가 정지됐다. B는 스르륵 혜정의 팔을 놓아주었고 혜정은 눈물을 닦아내며 앞으로 걸어갔다. 구심점이었던 혜정이 빠지자, 밴드는 자연스럽게 무너졌다. B는 보컬을 새로 구하자고 그들을 설득했지만, 씨알도 먹히지 않았다.

"솔직히 네가 밴드 제안했을 때, 혜정이 보고 들어왔거든? 근데 걔가 없으면 이 밴드 가치가 있냐? 쯥, 어차피 걔도 이제 가망 없어 보이고"

B는 할 말이 없었다. 그대로 밴드는 해체됐다. B는 한동안 집에 틀어박혀 있었다. 이불을 감싸고 누워 그저 멍하니 천장만 바라봤다. 충분한 재능을 가지고 있으면서도 쉽게 포기한, 그래서 일을 이 지경까지 만들어버린 혜정의 얼굴이 떠오를 때마다 B가 쥔 이불이 점점 더 구겨졌다.

이대로 있어 봐야 꿈은 이뤄지지 않는다는 걸 알기에 다시 한번 공연장을 찾았다. 무언가를 찾을 수 있지 않을까 하는 막연한 기대감이 있었다. 하지만 눈 씻고 찾아봐도 그런 건 그곳에 없었다. 매주 섰던 무대가 너무나 낯설

게 느껴졌다. 한때는 라이벌이었던 팀의 공연까지 모두 끝나고, 공연장 스태프가 무대에 올라가 선을 정리할 때까지 B는 자리에 앉아 있었다. 누군가 그녀의 어깨를 두드렸고, 여러 행사에 그녀의 밴드를 불러준 정 대표가 서 있었다.

FairyTale 02.

A. 달, 나무, 보랏빛 잎사귀

　그 꺼림칙한 꿈이 반복되기 시작했던 것도 아마 그즈음이었던 것 같다. A가 자신에게 온전히 집중하겠다고 선언한 그 시점, 그러나 자신에게 집중한답시고 자신을 돌아볼수록 되려 자신을 잃어가던 그 시점 말이다.

　처음엔 그저 아무것도 없는 것에서부터 시작되었었다. 꿈을 꾸지 않았다고 하기엔 무언가 기억이 남아 있고, 그렇다고 꿈을 꾸었다고 하기엔 아무런 내용도 없는 그런 꿈으로. 하지만 어느 순간부터는 채도가 낮은 작은 빛이 보이기 시작했고 달빛을 받아 연보랏빛으로 은은하게 빛나는 나무가, 그리고 숲이 보이기 시작했다. 바람 따위는 느껴지지 않았다. 그럼에도 숲의 입구에 보이는 나무들은 그녀를 향해 숲으로 들어오라는 듯 살랑거리며 가지를 흔들어댔다. 겉보기에는 그렇게 나쁜 꿈으로 보이지 않을지도 모르겠으나 인간의 감각은 늘 불완전했으며 그렇기에 보이는 것이 전부가 아니라는 걸 잊지 않아야 한다. 생각해보라, 그게 몇 날이고 며칠이고 계속 반복된다면? 똑같은 나무와 똑같은 숲. 게다가 입구의 나무들이 가지를 살랑거리는 것까지. 그 숲에서 느껴지는 위화감이라고 해야 할까, 어찌 됐건 숲을 마주하고 있을 때의 형용할 수 없는 그 기분은 직접 느껴본 사람이 아니라면 결코 공감할 수 없을 것이다.

그저 꿈일 뿐인걸.

A도 처음에는 그렇게 생각했었다. 꿈을 꾸지 않으면 그만일 거라고. 그래서 꿈을 쫓아내려 몸을 극한에까지 몰아붙여 기절하듯 잠들기도, 필름이 끊어질 정도로 술을 진탕 먹고 쓰러져 보기도, 심지어는 수면제를 처방받아도 봤지

만, 그녀의 서사에 '아무런 꿈도 꾸지 않은 깊은 잠이었다.'와 같은 서술을 써넣을 일은 없었다. 잠이 깊어질수록 꿈은 더욱 큰 보폭으로 A에게 다가왔다.

A는 다시 몸을 일으켜 냉장고에서 물병을 꺼내 냉수 한 컵을 들이켰다. 그대로 있다가는 자기도 모르게 잠으로 끌려들어 갈 것만 같았던 탓이다. 그러고는 모자를 깊이 눌러쓴 채 신발을 신고 현관 밖으로 나가 엘리베이터를 잡았다. 지금 A에게는 역한 테레핀 냄새가 아닌 신선한 공기가 필요했다. 멀리 갈 필요는 없었다. A는 아파트 현관 앞 낮은 계단에 걸터앉았다. 조잘거리는 풀벌레 소리 속에서 가을 새벽의 차가운 바람이 일렁이더니 A의 폐 속을 부드럽게 훑고 지나갔다. 먹먹했던 머리가 조금은 맑아지는 것 같았다. 몇 번의 심호흡으로 폐를 충분히 적신 A는 비스듬히 자세를 고쳐 앉아 계단 난간에 몸을 기댔다. 몸도 마음도 너무 지쳐있던 탓일까. 차갑고 딱딱한 콘크리트 난간이었지만 A는 그 속에서 이유 모를 편안함을 느꼈다. 그렇게 스르르 눈이 감겼다.

잠시 뒤 A는 손끝에서 느껴지는 부드러운 감촉에 천천히 손을 움켜쥐었다. 손끝에 닿아 있던 무언가는 부드럽게 부서지며 그녀의 손아귀에 촉촉한 온기를 전했다. 이내 이상함을 느낀 A가 나직하게 신음하며 눈을 떴다. 눈앞에는 늘 그랬듯 달빛을 받은 연보랏빛 녹음이 그녀를 향해 가지를 살랑이고 있었다. A는 손에 쥐고 있던 흙을 털어내고는 자리에서 일어났다. 그리고 한 걸음씩 숲을 향해 내디뎠다. 그것은 A의 의지는 아니었다. 본래 꿈속에서는 내가 나이지 못하는 경우도, 설령 안 된다는 걸 알지라도 몸이 멋대로 움직이는 경우도 많으니까. 따지자면 그것은 꿈의 의지였던 셈이다.

A는 자신에게 가지를 살랑거리고 있던 나무를 향해 다가가 곧게 뻗은 줄기를 어루만졌다. 거칠게 갈라진 나무 껍질의 감촉이 느껴졌다. 맑은 공기, 풀 내음, 신발 밑창 너머로 전해지는 흙의 포근함까지. 그 모든 것들이 꿈이라고는 믿어지지 않을 정도로 생생하게 느껴졌다. 그리고 그 생생한 감각은 A에게 있어 잠시나마 현실에서 있었던 모든 일들이 어쩌면 지독한 악몽을 꾸고 있었던 거라고, 지금에야 비로소 꿈에서 깨어나 현실로 돌아온 거라고 착각을 일으키게 만들었다.

A는 잠시 눈을 감고 고개를 저었다. 현혹되지 말자. 여느 때처럼 숲을 외면한 채 기다리다 보면 자연히 꿈에서

깰 것이다. A는 그렇게 생각했다. 그러면서 자신이 잠들었던 시점의 상황을 떠올리려고 했다. 그 지점을 떠올리기만 한다면 모호해졌던 꿈과 현실의 경계가 재구성되고 수월하게 잠에서 깨어날 수 있을 거라고 생각했기 때문이었다. 그것은 순전히 A의 의지였다.

이내 A는 늦은 새벽 아파트 공동 현관 입구의 낮은 계단에 앉아 콘크리트 난간에 의지한 채 자기도 모르게 잠에 빠져들었음을 떠올려냈다. 새벽을 달리는 늦은 시각에다 큰 여자가 길바닥에서 무방비하게 자고 있다니. 누가 보기에는 한심할 수도, 또 어떻게 보면 꽤 위험한 일일 수도 있었지만 그건 그다지 큰 문제가 아니었다. 입실률보다 공실률 압도적으로 높은 시골 촌구석의 아파트에 굳이 찾아올 사람은 없었으니까. 그보다는 산짐승을 걱정하는 편이 더 현실적일지도 모른다. 다만 도심보다 기온이 낮은 교외 지역의 새벽 공기는 담요 한 장 걸치지 않은 채로 잠들어버린 A에게 조금 걱정스러운 일이 아닐 수 없었다. 그로써 그녀는 꿈에서 깨야만 하는 한 가지의 이유를 더 확보한 셈이다. 그것은 꿈과 현실의 모호성을 철저히 해체해줄 것이고 그건 또다시 꿈에서 깨어나는 계기로써 작동해줄 것이다. 만약 그것만으로 부족하다고 한들 현실 세계의 추위가 그녀를 다시 원래 있어야 할 곳으로 불러와 줄 것이 분명했다.

A는 다시 눈을 떠 주위를 둘러보았다. 아직까지는 무성한 연보랏빛들이 자신을 감싸고 있었다. A는 그 광경을 보고 평소와 같이 '그래도 조금 뒤면 깨어나겠지. 이 지긋지긋한 꿈.'하고 넘길 수가 없었다. 이전까지 그녀가 서 있던 곳은 숲의 입구. 자신의 뒤로는 처음 꿨던 꿈이 그랬던 것처럼 완전한 무無의 세계가 있었을 뿐이었다. 하지만 지금은 온 사방이 짙은 연보랏빛 녹음의 세계가 아닌가. 숲이 그녀를 끌어안은, 아니 집어삼킨 것이다.

말도 안 되는 이야기겠지만 그 꿈은 스스로의 의지를 지니고 움직이는 것 같았다. 그리고 꿈이 움직일 때마다 A는 꿈에서 깨어나는 데 적잖아 애를 먹었었다. 단순한 우연의 일치였을지도, 혹은 유독 피곤했던 터라 더 깊이 잠들었고 그래서 더 많은 꿈을 꾸었기에 꿈속에서 다른 장면을 보게 된 것이라는 조금은 뻔한 이유였을지도 모르지만 적어도 그녀는 그렇게 생각했다. 그것 또한 A가 그 꿈을 꺼림칙하다고 느꼈던 수많은 이유 중 하나였다.

A는 한동안 고개를 돌려 숲을 둘러보더니 이내 걸음을 옮겼다. 그게 숲의 의지였는지 아니면 그녀의 의지였는지

는 모르겠지만 어쨌든 움직여야 할 것만 같은 기분이 들었기 때문이었다.

빼곡히 들어선 이파리들 사이를 비집고 들어온 부드러운 빛줄기, 연보랏빛의 나무들, 그리고 깁을 깐 듯 나직하게 피어오르는 안개까지. 영화나 게임 속 환상 세계에 와 있는 것 같은 기분이 들었다. A 또한 걸음을 늦추며 숲의 모습들을 섬세하게 눈에 담았다. 물론 여전히 어딘가 이질적이고 꺼림칙하다는 느낌을 완전히 떨칠 수는 없었지만 말이다. 혹자는 그 꺼림칙함의 근원이 인기척이 전혀 없는 상황에 있다고 생각할지도 모른다. 하지만 그런 상황이나 외로움 따위는 언젠가부터 A의 삶을 이루는 수많은 요소 중 하나에 불과할 뿐이라는 점을 분명 짚고 넘어가야 할 필요가 있다. 다시 말해 고작 그런 게 이 꺼림칙한 기분의 근본적 원인이 될 수 없다는 뜻이다.

FairyTale 02.

B. 좌절을 마주하는 방법

"마셔."

정 대표는 B에게 음료수 캔 하나를 던져주곤 담배를 꺼냈다. 그는 이런 일이 익숙한 듯 자연스럽게 대했다. 공중에서 흩어지는 연기를 보던 B는 그에게 손을 내밀었다.

"저도 한 대 주세요."

"너도 담배 피우냐? 혜정이가 나쁜 것만 가르쳐줬구만."

혜정의 이름에 B의 인상이 잔뜩 구겨지자, 그는 냉큼 담배를 건네줬다. 처음처럼 몇 번의 기침이 나왔지만, 억지로 연기를 욱여넣자 점차 익숙해졌다.

"해체하는 밴드가 한둘인 줄 아냐? 그래도 너희는 오래한 편이지. 혜정이는? 아직도 연락 안 해?"

B는 말없이 고개를 끄덕였다. 음악을 그만둔다는 선언을 한 다음 날 미리 보기가 안될 정도로 긴 글이 그녀에게 왔지만, B는 보지 않았다. 모든 걸 망쳐둔 주제에 무슨 면목으로 그따위 문자를 보내나 싶어 괘씸하게 느껴졌었다. 정 대표 또한 그저 고개를 끄덕였다. 담배가 필터에 점점 가까워져 손가락이 뜨겁다고 느낄 때쯤 그는 B에게 제안을 하나 했다.

"밴드 행사랑 공연 일정 관리하고 기획자나 업체랑 연락했던 거 너지? 안 그래도 우리 인력 지원사업 돼서 계약직 뽑아야 하는데. 너 해볼래?"

잠시 하늘을 바라보던 B는 들고 있던 담배를 재떨이에 비벼 끄고 다시 한번 손을 내밀었다.

"한 대만 더 주세요."

그는 한숨을 쉬며 주머니에서 담뱃갑을 꺼내 통째로 B에게 건네줬다. 푸른 하늘에 하얀색 점 하나가 그들의 머리 위를 지나갔다.

B는 일을 시작하자마자 실무를 맡아 진행했다. 예술인들의 입장을 충분히 이해하고 있었기 때문에 그들과 소통하는 일은 크게 어려운 일이 아니었다. 기본적으로는 예술인과의 소통 그리고 장소 섭외가 그녀의 주된 역할이었다. 그리고 때때로 정 대표가 쓴 기획서를 보며 예술인의 입장에서 피드백을 줬다. 기획서 마감일이 얼마 남지 않은 날에는 두 사람 모두 흡연실에 살다시피 했다. 정신없이 경험을 쌓아가던 B는 큰 기획안에서 한 파트를 담당하게 됐다. 현장지원 인력이 부족해 직접 앰프와 보면대를 옮기던 와중에 B는 한쪽에서 큰 소리가 들려 그쪽으로 향했다.

"아니, 이런 것도 하나 똑바로 준비 못 해요?"

"죄, 죄송합니다. 하지만 사전에 얘기를 안 해주셔서."

"뭐라는 거야. 아, 오늘 공연 다 망했네."

소란이 벌어진 곳에는 과거 라이벌이었던 밴드의 보컬과 일주일 전에 입사한 신입이 실랑이를 벌이고 있었다.

"무슨 일이에요?"

"어? 밴드 해체하셨다더니. 여기서 뵐 줄은 몰랐네요."

코웃음 가득한 목소리가 심히 거슬렸지만, B는 이를 악무는 것 외에는 할 수 있는 게 없었다.

"네. 오랜만이네요. 그래서 무슨 일이죠?"

"맞아. 아니 물품 관리를 어떻게 하는 거예요? 분명히 미리 물 준비해달라고 했죠?"

"물이라면 저쪽에…"

"하, 나도 눈 있거든요? 내가 준비해달라고 한 건 뚜껑에 빨대 꽂혀있는 그 물이었어요. 그냥 일반 물병에 담긴 물 마시면 삑사리 나는 징크스가 있어서 신경 써달라고 분명히 말했을 텐데요?"

"잠시만요. 확인해 볼게요."

차트를 확인해 봤지만, 적혀있는 것은 없었다. 결국 정 대표가 와서 마무리 지을 때까지 언쟁은 계속됐다.

"그런 거 하나가 얼마나 중요한지 모르니까. 밴드가 그 꼴이 나지."

정 대표에게 떠밀려 멀어지는 와중에 등 뒤로 비수가 날아왔다. B는 당장이라도 머리채를 잡고 싸우고 싶었지만, 공연을 즐기러 온 관객들을 생각해서 다시 한번 속으로 불을 삼켜야 했다. 보컬의 인성과는 상관없이 그 밴드는 좋은 공연을 했다. 관객들은 환호했고 앵콜을 외쳤다. 성공적인 기획이자 무대였다. 그리고 그 중심에는 B가 있었다. 하지만 B는 전혀 웃음이 나오지 않았다. 오히려 우리도 조금만 더 했으면 저 정도는 할 수 있었을 것 같다는 생각에 속이 쓰렸다. 목에 걸린 '스태프'라고 적힌 명찰이 그녀를 더욱 초라하게 만들었다. 그날 공연이 끝나자마자 정 대표에게 그만두겠다고 얘기했다. 지원사업 기간이 얼마 남지 않아서인지 그는 쉽게 B를 놔줬다. 어떻게든 다시 무대로 돌아가기 위해 먼지가 쌓여있던 베이스를 꺼내 무작정 치기 시작했다. 그동안 연습을 한 번도 안 한 탓인지 손가락이 무거웠다. 어딘가에 지원하기 위해서는 준비가 필요했다. 그러나 그녀의 고집만 부리기에는 시간이 너무 흘러있었다.

"얘, 아버지가 쓰러지셔서 내려와야 할 것 같다. 언제까지 돈도 못 벌고 그러고 살 수는 없잖니."

꾸지람보단 오히려 애잔함에 가까운 엄마 목소리에 거부할 생각도 들지 않았다. 그녀도 알고 있었다. 꿈을 다시 꾸기에는 늦었다는 것을. 그녀는 간소한 짐을 챙겨 다시 고향으로 돌아갔다. B는 영화 속 인물이 될 수 없었다. B는 에이미가 아니었다.

'역시 시간을 보내기에는, 이 방법이 좋긴 하네.'

B는 쓴웃음을 지었다. 잔업을 시작하기 전에 저녁을 먹

으러 식당에 가야 했지만 그녀는 흡연장으로 직행했다. 처음 입사할 때만 해도 길가에 벚꽃잎이 잔뜩 떨어져 있었는데, 지금은 저녁만 되면 새하얀 입김이 나올 것만 같았다. B는 콧속이 살짝 시려지는 이 계절에 담배 맛이 더 좋다고 생각했다.

'그냥 집에 갈까.'

잔업을 시작하기 전이면 언제나 하는 고민, 하지만 그녀는 이미 그럴 수 없다는 걸 알고 있었다. 처음 이곳에 합격했을 때, 부모의 표정이 떠올랐다. 이 공장에 합격했다는 소식을 들은 부모의 표정은 B가 정말 오랜만에 보는 모습이었다. 초등학교 저학년 때 수학 시험에서 100점을 맞고 그것을 자랑했을 때 보았던 표정과 같았다. 그들의 활짝 웃는 모습과 합격하지 않기를 내심 바랐던 B의 굳은 표정이 대조되었다. 웃는 얼굴에 침 못 뱉는다지만, B는 당장 소리를 지르며 지랄발광하고 싶었다. B가 하고 싶은 일을 할 때는 못마땅한 표정을 짓던 그들이 단순 생산직에 들어갔다는 것 하나로 그런 표정을 짓는다는 게 마음을 쿡 쑤셨기 때문이다.

'이렇게 작았던가?'

무어라 소리치려고 하던 B는 문득 왜소해진 부모의 몸

이 눈에 들어왔다. 입술에 접착제를 바른 것처럼 말이 나오지 않았다. 밴드나 기획 쪽 일을 할 때 돈벌이가 시원치 않아 여러 번 부모에게 손을 벌렸던 B는 자신을 대신해 삶의 무게를 짊어져 잔뜩 쪼그라든 게 아닐까 하는 생각을 했다. 그래서 머리를 숙이고 머리를 긁적이며 멋쩍게 웃었다. 애써 웃어 보이려 양쪽 볼을 움직였다. 웃음을 박아 넣은 가면 같은 표정이었다.

"그래서 딱 1년만 일하고 가게 차리려고요."

"잔업 끝나고 집에 가서 그거 준비한다고 맨날 피곤해 보이는구나? 그래도 대단하다. 근데 그거 다른 사람들한테 얘기하지 마. 우리야 괜찮지만 직급 있는 사람들은 싫어할 수도 있어."

"그럼요. 맨날 사람들 그만둔다고 툴툴거리잖아요."

담배 한 대를 빠르게 태우고 밥을 먹던 B는 옆에서 들려오는 테이블 사람들의 이야기에 귀를 기울였다. 들어온 지 얼마 안 된 사람이었던 걸로 기억하는데, 벌써 그만둘 얘기를 하고 있었다. B가 신경 쓸 얘기는 아니었지만, 꿈이니 뭐니, 허황된 얘기를 하는 꼴이 우습다고 그녀는 생각했다.

'나이는 나랑 비슷했던 것 같은데, 미련하네. 가게 차려 봐야 금방 망하고 또 직장 찾으러 다닐 텐데 그냥 여기 있지.'

두 번의 좌절은 열정을 지그시 밟았다. 숟가락으로 밥을 뒤적이기만 하던 B는 이내 식판을 들고 일어나 잔반을 버리고 다시 흡연장으로 향했다. 거칠게 담배를 태우다가 휴대폰을 보고 담뱃불을 껐다. B는 작은 불씨도 용서하지 않겠다는 듯이 꽁초를 여러번 재떨이에 비볐다. 꼼꼼하게 재까지 여러 번 누른 후에야 작업장으로 돌아갔다.

하는 둥 마는 둥 잔업을 마칠 시간이 되면 밖은 여름이 아닌 이상 빼곡히 수 놓인 별을 볼 수 있었다. B는 별을 보며 낭만을 얘기하던 시절은 어디로 갔는지에 대해 생각했다. 그러다 고개를 흔들며 쓸데없이 감성적이라고 자기 자신을 타박했다. 주머니에 손을 넣고 늘 타는 213번 버스에 몸을 맡겼다. 개미굴에서 나오는 개미처럼 우르르 나오는 직원들이 다 어디로 갔는지 버스 안은 한적했다. B는 이어폰을 꽂았다. 계속 감성적인 쪽으로 움직이는 마음을 달래기 위한 임시방편이었다. 묵직한 베이스음과 함께 영화가 머릿속에서 재생되었다.

여느 때처럼 버스 정류장에는 B의 아빠가 서 있었다.

한 번 쓰러진 후 몸이 급격히 안 좋아진 아빠에겐 중요한 일과였다. 그녀는 여러 번 괜찮다고 얘기했지만, 언제나 너털웃음으로 넘어갔다. 오늘 별일은 없었는지 묻는 아버지와 단순 생산직인데 무슨 일이 있겠냐고 반문하는 딸의 모습은 평범해서 오히려 작위적으로 만들어 낸 듯한 느낌이 들었다.

"아 맞다. 혜정인가? 그 친구한테 편지 왔더라. 거기 식탁 위에 올려놨어."

정말 오랜만에 듣는 이름에 신발을 벗고 있던 B는 잠시 현관에서 멀뚱히 멈췄다. 그녀는 바로 편지를 확인하지 않고 화장실에 들어가 샤워부터 했다. 따스한 물로 두근거리는 심장을 진정시키고 식탁 위에 올려진 편지를 확인했다. 편지에는 푸른 글씨로 큼지막하게 '국제 우편'이라고 적힌 도장이 찍혀있었다. TV를 보며 꾸벅이는 부모에게 밤 인사를 한 B는 냉장고에서 꺼낸 캔맥주를 들고 편지와 함께 방으로 들어갔다. 저번에도 그랬지만 대체 무슨 낯짝으로 이런 걸 보낸 건지⋯⋯. 그런 생각이 들긴 했지만 한때 자신이 동경했던 그 이름에 대한 호기심이 모든 것을 앞섰다.

B에게

　이 편지가 너한테 잘 전달될지 모르겠다.
8~9년 만인가? 잘 지내고 있냐고 물어보면
조금 뻔뻔할까? 그래도 나는 네가 잘 지내고
있으면 좋겠다. 밴드는 아마 이미 오래전에 해
체했겠지. 여전히 너의 꿈을 내 마음대로 끝내
버린 것 아닐까 하는 오만한 생각에 미안함을
느껴. 그럼에도 너는 잘하고 있지 않을까 하는
생각도 해. 우리 중에 특히 열정적인 너였으니
까. 그래도 이렇게 연락할 생각은 없었지만,
오늘 이사하다가 한국에서 떠날 때 챙겨온 책
한 권에 네 고향 주소가 메모가 되어 있는 걸
발견했거든. 한참 고민했어. 그렇게 즉흥적인
내가 말이야. 무려 한 달은 고민한 것 같아.
이 주소에 여전히 너희 부모님이 살고 계셔서
이 편지를 네가 볼 수 있을까에 대한 고민도
있었지만, 그냥 단순하게 편지를 보내도 될까
하는 생각 때문에. 나는 여기서 한국인들을 상
대로 여행 가이드를 하고 있어. 내가 사람들을

여기저기 끌고 다니면서 명소나 역사적인 사건들을 설명하는 모습이 상상돼? 아마 안될 거야. 나도 이렇게 될 줄 몰랐으니까. 너는 어떻게 살고 있으려나? 그때는 답장을 못 받았지만, 이번에는 답장해 주면 좋겠다. 아, 혹시 B가 아니라면 미안해요. 그래도 다른 사람에게 온 편지를 훔쳐보는 것도 예의는 아니니까 서로 없었던 일로 해요. 지금 말한 우리 이야기가 궁금하면 답장해도 괜찮아요. 그것도 재미있을 것 같으니까. 그럼, 이만.

PS. 내가 말했던 것처럼 여전히 예술 쪽에서 일하고 있었으면 좋겠다. 진심이었거든. 그 말들은

혜정이 떠나고 사계절이 두 번은 바뀌고 나서 길게 와 있던 메시지를 확인했다. 그녀가 해외로 떠났다는 사실은 알고 있었지만, 정확히 무슨 일을 하려고 하는지는 알려주지 않았다. 답장을 쓰고 지우길 몇 번, 글자로는 모든 걸 전달할 수 없다고 느낀 B는 전화를 걸었지만, 역시 없는

번호가 되어 있었다. 쓰라린 추억으로 묻어두자, 다짐한 B
는 혜정의 이름을 잊고 살았다. 그런데 갑자기 툭 하고 날
아온 편지가 B를 그날 밤으로 끌고 갔다. 혜정의 손목을
붙잡았던 그때로…

　"너는 계속 예술 쪽에서 일했으면 좋겠다. 나처럼 포기
하지 말고. 밴드가 아니어도, 넌 할 수 있어."

　재능이 있다고 생각한 이가 말해주는 인정이었으니 B에
게 그 말은 축복이었다. 하지만 한편으로는 본인은 그렇게
무책임하게 포기해 놓고서 자신에게는 그런 말을 한다는
점에서 더없이 같잖게 느껴졌던 말이기도 했다. 그 한마디
가 오히려 혜정을 용서할 수 없는 이유가 됐다. 고집을 아
집으로 바꾼 저주에 가까운 말, B는 그 말을 듣지 않았다
면 적어도 두 번째 좌절은 하지 않았을 것 같다고 생각했
다. 혜정은 B에게 꿈의 달콤함을 알려준 사람이자 쓴맛을
알려준 사람이었다. 두 번의 좌절을 맛보고 나서야 B는
아집을 내려놓을 수 있었다.

　그녀는 퇴근 후에 담배를 피우지 않지만, 외투를 입고
편지를 읽으면서 반쯤 마신 맥주와 담배를 챙겼다. 부모가
깰까 조심스럽게 문을 열고 나가는 도중 거실에 어렴풋이

쪼그라든 풍선처럼 보이는 인형이 보였다. 울컥 차오르는 한숨을 내쉬지 않고 옥상으로 올라갔다. 커다란 업소용 후르츠 칵테일 깡통 안에는 아직 불씨가 남아 있는 담배꽁초가 있었다. 먼저 다녀간 조심성 없는 이를 속으로 욕하며 아까운 맥주를 조금 부어 불씨를 꺼트렸다. B는 옷이 더러워지는 건 생각하지 않고 벽면에 등을 기대고 그대로 주르륵 주저앉았다.

'계속 예술을 하고 있냐고?'

맥주 한 모금, 담배 한 모금 맥주가 모두 비워질 때까지 혜정의 말을 곱씹었다. 원래도 별이 잘 보이는 공기 좋은 시골이었지만, 오늘 유독 빛이 강한 것 같다고 생각했다. 갑자기 난시라도 생긴 건지 B의 시선에서 별빛이 점점 번져갔다. 그녀가 고개를 숙이자 한 방울 반짝이는 눈물이 볼을 타고 흘러내렸다.

"하고 있겠냐고. 아니, 할 수 있었겠냐고. 뭘 보고 나한테 그렇게 말한 건데. 응?"

혜정에겐 들리지 않을 말을 B는 읊조렸다. 아집을 내려놓고 나서야 주위의 걱정스러운 말이 들렸다. 그들은 현실 도피라는 말로 B를 재단했다. 마치 꿈에서 도피하면 행복해질 것처럼 말했다. 그래서 B는 꿈을 잘라냈다. 그래도 행복해지지 않았다. 아침에 일찍 출근 준비를 하는 건 어려웠다. 공통된 화제가 없는 이들과 말을 나누는 것도 어려웠다. 매일 소음 속에서 일하는 것도 어려웠다. 같은 일을 반복해서 하는 것도 어려웠다. 목적이 사라진 삶은 괴로웠다. 누군가에게 이런 이야기를 터놓으면 돌아오는 말은 항상 똑같았다.

"다른 사람들도 그렇게 살아."

B는 그 말을 들을 때마다 납득할 수 없었다. 단지 다른 사람들이 그렇게 산다는 이유로 자신이 왜 그렇게 살아야 하는지 인정할 수 없었다. 하지만 누구도 명확히 얘기해주지 않았다. 그저 아직 철이 덜 들었다는 식으로 넘겨버렸다. B는 무릎을 끌어안고 고개를 파묻었다. 잠들기 위해 마셨던 맥주의 취기가 스멀스멀 눈꺼풀에 쌓였다. 억지로 몸을 일으켜 곧장 방으로 돌아가 침대에 몸을 내던졌다.

'오늘도 그 꿈이려나?'

A. 숲, 그리고 무덤

얼마나 걸었을까. 달빛은 더욱 짙어졌고 그 빛을 받은 나무들은 더욱 찬란한 연보랏빛으로 밝게 빛나고 있었다. 이따금씩 나지막하게 유영하는 안개는 이곳이 진정한 꿈의 세계라는 것을 인지시켜주려는 듯 그녀 주위를 훑고 지나 갔다. 그러나 숲은 고요했다. 이곳이 현실이 아님을 증명 이라도 하려는 듯 고요함을 넘어 한없이 적막했다. 풀벌레

의 울음소리나 밤새 소리가 들릴 법도 했지만 전혀 없었
다. 심지어는 흙을 밟는 그녀의 발소리조차 들리지 않았다.
A는 의도적으로 손뼉을 쳐보기도 했으나 물속에서 공을
던진 것마냥 음파는 뻗어가지 못하고 '툭'하고 떨어져 사
라져버렸다. 그것은 어느 순간부터 울리지 않던 그녀의 휴
대전화보다도, 볕도 제대로 들지 않는 어두침침한 북서향
의 아파트보다도, 라디오에서 나오던 바흐의 <플루트 독주
를 위한 파르티타>보다도, 그리고 사람 냄새보다 테레핀
냄새가 더욱 짙게 배인 자신의 체취보다도 훨씬 더 그녀
를 외롭게 했다. 그녀의 세계는 어디로도 연결되지 못한
채 숲에 완전히 가로막히게 된 것이다.

A의 걸음이 연신 빨라졌다. 누구라도 만나고 싶었다. 사
람이든 짐승이든, 그 누구라도. 그들을 만나고 나서 어떻
게 할 것인가는 나중 문제였다. 사람을 기피하는 것과 외
로움은 다른 차원이었으며, 사람이 가득한 세상 속에서 자
의로써 골방에 틀어박혀 있는 것과 아무도 존재하지 않는
세계에서 혼자만 덩그러니 남겨져 있는 것 또한 또 다른
문제였다.

역시나 이곳은 꿈과 모험이 있는 환상의 세계 따위가
아니었다. 꿈, 모험, 환상. 좋지 못한 의미의 모험이라면

몰라도 다른 것들은 A의 인생에 존재하지 않는 것들이었다.

"그따위 건 에버랜드에도 없어."

한때 A가 입버릇처럼 달고 살았던 냉소적인 그 말은 비수가 되어 그녀의 숨통을 옥죄여 왔다. 그렇다고 이곳에 주저앉아 있을 수만은 없었다. 할 수 있는 게 아무것도 없었지만 그래도 무언가를 해야만 했다. 그건 어찌할 수 없는 A의 삶이었다.

A는 발을 움직여 걸음을 옮겼다. 어디로 가야 할지조차 알 수가 없었기에 그저 달빛이 이끄는 대로 발을 움직였을 뿐이다. 시간이 지난대서 이 불쾌하리만치 아름다운, 그래서 더욱 이질감이 드는 꿈에서 깨어날 수는 없을 거라는 걸 본능적으로 직감했던 탓이다.

얼마 지나지 않아 가지들이 비켜선 곳에서 옅은 신음이 흘러들어 왔다. 아직 분명한 인기척이 느껴지는 것은 아니었으나 그것은 명확한 사람의 소리였다. A는 황급히 나무 뒤로 몸을 숨기고는 소리의 근원지를 찾아 조금씩 걸음을 옮겼다.

소리가 들려온 곳에서는 적지 않은 수의 사람들—사람의 형상이 어느 정도는 남아 있으나 그것을 여전히 '사람'

이라고 부를 수 있을지는 의문인—이 비통한 표정으로 나무에 뒤엉켜 뻣뻣하게 굳어가고 있었다.

"이곳에 온 모두는 저렇게 숲의 일부가 되어 가지."

A가 몸을 가리고 있던 나무의 위쪽—생각지도 못한 곳에서 사람의 소리가 들려온 탓에 그녀는 그대로 나자빠졌다.

"놀랄 것 없어. 이곳에서 네게 해코지할 수 있는 사람은 아무도 없으니까."

생명력이 거의 남아 있지 않은 말라비틀어진 목소리. A는 고개를 들어 나무 위쪽을 살펴보았다. 그러나 사람의 모습은 보이지 않았다.

"어딜 보는 거야. 여기라고, 여기."

말이 끝나자 나무가 스스로 가지를 움직이더니 가려져 있던 얼굴이 드러났다. 메마르고 갈라져 나무 줄기의 온전한 일부가 되어버린 듯 형상만이 겨우 남아 있는 얼굴이었다. 그 모습을 본 A는 떨리는 몸을 어떻게든 움직여 나자빠진 채로 뒷걸음질 쳤다. 비명을 지르고 싶은 충동이 치밀었지만 그녀의 몸은 그걸 허락할 수 있는 상태가 아니었다. 이내 떨림은 온몸 깊은 곳까지 번져 이가 딱딱 부딪힐 지경에 이르렀다.

"보아하니 집어삼켜진 지 얼마 되지 않았나 보군."

그러거나 말거나. 나무에 파묻혀 양분이 되어가고 있는 사람은 계속해서 말을 이었다.

"착각하고 있는 것 같아 알려주자면 우리는 나무에게 먹히고 있는 게 아니야. 나무 그 자체가 되어가고 있는 거지."

나무 인간은 말하는 것조차 힘에 부치는 듯 몇 마디 하지 못하고 잠시간의 휴식을 가진 뒤 다시 말하기를 반복했다.

"이곳은 상실한 자들의 세계, 바로 그런 나무들로 이루어진 숲이야."

"이봐, 너무 겁주지 말자고. 그렇지 않아도 겁을 잔뜩 집어먹고 있었는데 이제는 온몸을 사시나무 떨듯 떨어대니 정작 나무가 된 우리보다 더 나무 같지 않나."

이번에는 다른 쪽에서 그와 마찬가지로 나무가 되어가고 있던 사람이 말했다.

"시간이 얼마 남지 않은 상황에서 갓 집어삼켜진 사람을 보니 부러워서 장난 좀 쳐본 거야."

"이 친구, 성격하고는. 그간에는 우리에게도 충분한 시간이 있었잖아. 끝내 그걸 되찾지 못했을 뿐……"

두 번째로 입을 열었던 나무 인간은 씁쓸하다는 듯 말 끝을 흐리더니 한동안의 사이를 두었다.

"너도 우리처럼 되고 싶지 않다면 네가 잃어버린 걸 되 찾는 게 좋을 거야. 그 소중한 것은 시간이 지날수록 희미 해지다가 어느 순간에는 완전히 사라져버리거든."

처음으로 A에게 말을 걸었던 나무 인간이 무심한 듯 말 했다.

"자, 이제 우리의 시간도 여기까지인가 보군."

"어쩌겠어. 그게 상실한 자들의 운명인데."

그들의 목소리는 모든 것을 내려놓은 듯 점점 더 건조 해져 갔다.

"우리에게도 시간이 좀 더 있었다면 달라질 수 있었을 까……"

그들의 얼굴 주변으로 더욱 두텁고 메마른 나무껍질이 차오르더니 이내 얼굴의 형상도, 그들의 목소리도 완전히 사라져버렸다. 그렇게 또다시 A의 주변에는 더욱 무성해 진 나무들만이 연보랏빛으로 달빛에 반짝이고 있을 뿐 그 어떤 존재의 기척조차 남아 있지 않게 되었다. 알 수 없는 소리만 늘어놓던 나무 인간들과의 대화도 걷잡을 수 없는 외로움에 몽중몽을 꿨던 건 아닌가 하는 착각이 들 정도였다.

A의 떨리던 몸은 그들이 사라지고도 한참의 시간이 흘러서야 서서히 안정을 찾아갔다. 대신 경직으로 인한 약간의 통증과 나른함이 그 뒤를 이어 그녀의 몸을 채웠다. 그 꺼림칙함의 실체와도 같은 장소를 조금이라도 빨리 벗어나고 싶었지만 그럴 수가 없었다. 모든 게 너무 지치고 버겁게만 느껴졌다. A는 그대로 몸을 뒤로 뉘인 뒤 눈을 감았다.

FairyTale 03.

B. 나무와 표정

B가 눈을 떴을 때, 방 안이 아닌 녹음 사이로 햇빛이 내려오는 숲속 한 가운데였다. 익숙하게 자리에서 일어난 B는 옷을 털어냈다.

'또 이 꿈이네, 근데… 좀 다른 것 같은데?'

전보다 더 생생해진 감각에 B는 볼을 꼬집었다. 아팠다. 통증이 없는 게 당연한 꿈인데 힘껏 꼬집은 볼이 욱신거렸다. 나무 앞으로 걸어가 껍질을 만졌다. 어제까지만 해도 아무런 촉감이 느껴지지 않았는데 사포처럼 거친 느낌이 손끝에 느껴졌다. 말도 안 되는 상황에 뒷걸음질을 치고 있는데, 어디선가 남자의 목소리가 들렸다.

"이, 이봐 담배 있으면 하나만 줘봐."

"누, 누구세요?"

B는 황급히 주위를 둘러봤다. 하지만 어디에도 사람의 모습이 보이지 않았다.

"밑에, 밑을 봐! 이 아가씨야."

밑을 보라는 말에 흔들리는 시선을 내렸다. 그리고 기괴하게 나무와 하나가 되어가고 있는 사람을 볼 수 있었다. 그녀는 외마디 비명도 지르지 못하고 그대로 자리에 주저앉았다.

"이제야 눈높이가 맞네. 하필이면 엎드려 있는 타이밍에 시간이 다 지나버려서 이 꼴이 됐네. 빨리 담배 하나 입에 물려줘 봐."

"다, 당신 뭐야?"

주저앉은 채로 뒷걸음질을 쳐 옷에 흙이 잔뜩 묻었지만, B는 그런 걸 신경 쓸 정신이 없었다. 점점 멀어지는 B를 향해 기묘한 남성은 최대한 비굴한 표정으로 그녀를 달랬다.

"아, 다 설명해 줄게. 그러니까 도망가지 마. 이렇게 사람이랑 얘기하는 것도 오랜만이고 담배도 너무 피우고 싶단 말이야. 한 대, 딱~! 한 대만 입에 물려주면 다 설명해 줄게. 응?"

B는 당장이라도 도망가고 싶었지만, 진정하자는 말을 되뇌며 마음을 가라앉혔다. 심장박동이 평소보다 조금 빠른 정도로 돌아왔을 때, 그녀는 자리에서 일어날 수 있었다.

"저 담배 없어요."

"없긴, 담배 냄새가 풀풀 나는구만. 그리고 왼쪽 주머니에 불룩하게 튀어나온 거 담뱃갑 아니야?"

남자의 말에 B는 왼쪽 주머니에 손을 가져갔다. 그 남자의 말대로 불룩 튀어나온 게 있었고 그의 예상대로 그것은 담뱃갑이었다.

"이, 이건 꿈인데? 이상하다 왜 이게 여기 있지? 분명 잠들기 전에 안 빼긴 했는데. 어?"

이 꿈을 꾸면서 처음 일어나는 일이 너무 많아서 B는 받아들이지 못하고 있었다. B가 당황하든 말든 남자는 계속 담배를 요구했고, B는 멀찍이 떨어져 담배와 라이터를 그의 앞으로 던졌다.

"아니, 입에 물려달라니까? 이거 안 보여? 지금 얼굴 빼고 다 완전히 나무로 변했잖아. 시간 없으니까 빨리! 언제 얼굴까지 나무로 변할지 몰라!"

그는 눈짓으로 자신의 팔 쪽을 가리켰다. 그의 말대로 피부는 B가 만졌던 나무처럼 변해있었다. B는 내키지 않았지만, 여기가 어떤 곳인지 설명을 듣기 위해 게걸음으로 다가가 담배를 그의 입에 물려주고 불을 붙여줬다.

"크~ 좋다. 이게 얼마 만의 담배야."

그는 재주 좋게 손을 대지도 않고 담배를 피웠다. 필터까지 피워버릴 기세로 담배를 빨던 그는 담배를 껌 뱉듯 뱉었다.

"앗, 뜨거. 윽, 불붙는 거 아니야? 아가씨 와서 이것 좀 꺼줘."

"아가씨라고 하지 마세요."

완전히 평소로 돌아온 B는 냉랭한 말투로 그를 대했다.

"어차피 이제 나무가 될 건데 이름이 뭐가 중요해. 안 그래? 자, 이제 앉아봐 여기가 어떤 곳인지 설명해 줄 테니까."

담뱃불을 끄기 위해 가다간 B는 그제야 남자의 얼굴이

자신의 무릎 정도에 있다는 사실을 깨달았다. 그와 조금 떨어져서 앉은 B는 고갯짓으로 그에게 설명을 요구했다.

"거 싸가지하고는. 암튼 나는 약속은 지키는 사람이니까. 여기는 꿈을 포기한 죄인들이 오는 숲이야. 꿈을 이루는 사람이 얼마나 된다고…누가 이런 곳을 만들었는지, 그리고 선정 기준이 뭔지는 나도 몰라. 그리고…."

이곳은 끝을 알 수 없는 커다란 숲이라는 것과 그의 생각일 뿐이지만 나가는 방법은 꿈을 찾는 것이라는 설명을 이어서 해줬다.

"아니? 꿈만 보고 살 수 있는 건 아니잖아요?"

"그래, 내 말이 그 말이야! 그 꿈 때문에 나는 친구도 직장도 평범한 삶도 잃었는데 살아보겠다고 꿈을 포기하고 그냥 먹고 살기로 한 게 무슨 큰 잘못이냐고. 꿈을 포기해서 좀 더 나은 삶을 사는 사람도 있는데, 안 그래?"

나무로 변하지 않았던 목 부위와 턱밑까지 나무껍질로 뒤덮이자, 남자의 말투가 어눌해졌다.

"아시, 시가이 어마 아남아네. 그럼 이따 보다고 아가시. 내가 보니까 아가시도 고디야. ㅋㅎㅎㅎ"

남자는 B에게 악담을 내뱉고 완전히 나무로 변해버렸다. 마지막 말에 열 받은 B는 벌떡 일어나 그의 얼굴이 박혀 있는 나무를 걷어찼지만, 그냥 발끝이 아플 뿐이었다.

'이제 어떻게 하지?'

가만히 있어 봐야 할 수 있는 일이 없다고 느낀 B는 정처 없이 숲을 돌아다니기 시작했다. 애써 찾으려 하지 않았지만, 그 남자가 정말 특이했던 거고 대부분의 나무에 박혀 있는 얼굴은 그녀의 키 높이와 크게 다르지 않았기에 다양한 표정을 볼 수 있었다. 남자의 말처럼 꿈에서 벗어났다는 사실에 쾌감을 느끼는 부류와 후회와 회한이 남는 부류가 있었다.

'나는 어떤 표정을 지을까?'

B는 마치 나무가 된다는 것이 확정된 사실처럼 생각하는 자신이 소름 끼쳐 몸을 부르르 떨었다. 꺼림칙한 생각을 잊으려고 일부러 힘차게 걷던 B는 우두커니 멈춰 섰다.

'아니야. 나는 여기서 나갈 수 있어. 나가서 해야 할 일이 얼마나, 얼마나…'

도저히 많다는 생각이 이어지지 않았다. 여기서 나가도 그녀는 하고 싶은 게 없었다. 어차피 이곳에서 탈출한다고 해도 B는 똑같이 출근하고 선크림을 상자에 담고, 퇴근해서 맥주 한 캔을 마시고 잠에 들 것이다. 목적이 없는 그런 삶을 살 것이 뻔했다. 그의 웃음소리가 다시 들리는 것만 같았다.

'어? 진짜로 무슨 소리가 들리는데?'

번뜩 정신을 차린 B는 기분 나쁜 생각을 털어버리고 희미한 소리가 들려오는 곳으로 발걸음을 옮겼다. 자신과 같은 처지인 사람과 얘기를 나누고 마음에 위안을 얻고 싶었다. 여전히 이곳에서 벗어나는 게 의미가 있을지에 대한 고민이 남았지만, 지금은 외면하기로 했다.

FairyTale 04.

A. 대타존재

　잠에 들지는 않았다. 어디까지나 이곳은 꿈의 세계였으
니까. 덕분에 누군가가 자신을 향해 조심스레 다가오고 있
음을 느낄 수 있었다. A는 제발 잠깐이라도 자기를 내버
려뒀으면 좋겠다며 마음속 깊이 세상을 원망하면서 자리에
서 일어나 빠른 걸음으로 몸을 숨겼다. 이윽고 폭신한 흙
을 밟는 발소리가 점차 가까워지더니 A와 비슷한 나이대

로 보이는 여자가 우거진 나무 사이로 모습을 드러냈다.

"누구 없나요? 들리면 대답 좀 해주세요 제발."

그녀는 아직도 힘이 남아 있는 건지, 아니면 그토록 절박했던 건지 퍼져나가지 못하고 코앞에서 맥없이 추락해버리던 A의 목소리와는 달리 그녀의 소리는 사방에서 메아리가 칠 정도로 이상하리만치 크게 퍼져나갔다. 그럴수록 A는 나무줄기에 몸을 바짝 붙인 채 모자를 더욱 깊게 눌러썼지만 말이다.

"아무도 없나요? 이상한 사람 아니에요. 그저 이런 곳에 혼자 남겨지고 싶지 않을 뿐이죠."

그럼에도 그녀는 아랑곳하지 않고 나무 사이를 훑으며 목소리를 냈다. 그녀의 발걸음이 옮겨질 때마다 A의 머릿속에서도 무수한 생각들이 불규칙하게 스쳐 지나갔다. 숲은 한정 없이 넓었지만 공교롭게도 알 수 없는 여자의 걸음이 자신이 있는 쪽으로 다가오고 있었기에 이대로라면 얼마 지나지 못해 그녀를 맞닥뜨리게 될 게 분명했기 때문이다. 그렇다고 도망칠 수도 없었다. 이 적막한 숲속에서 조금의 인기척도 내지 않은 채 자리를 벗어난다는 건 불가능한 일이었다. 무엇보다 언제 자신도 나무가 될지 모른다는 불안감, 낯선 세계에 홀로 내팽개쳐져 있다는 것에 대한 두려움까지. 그 모든 것들이 A의 몸뿐만 아니라 사고까지도 묶어두었다.

'그렇다고 언제까지 이렇게 숨어 있을 수만은 없잖아.'

아까부터 A의 머릿속에서는 답답하다는 듯 자신을 쏘아붙이는 목소리가 맴을 돌았지만 숨이 가빠질 정도로 가슴이 뛴다거나 손바닥이 축축해져 몸을 숨기고 있던 나무의 두껍고도 거친 기둥을 꽉 움켜쥐는 것 말고는 달리 몸이 움직여지지 않았다. 결국 A는 눈이 가려질 정도로 모자를 깊게 눌러쓰고는 나무 기둥에 등을 붙이고 주저앉았다. 홱 돌아선 탓에 발에 밟힌 나뭇가지가 부러지는 소리, A의 몸이 풀리며 나무 기둥에 쓸리는 소리 들이 누군가의 존재를 갈구하던 여자에게로 나아갔다. 소리를 들은 그녀는 몸을 기울여 A가 숨어 있는 곳을 살피더니 이내,

"거기 누구 있어요?"

하고 호기심 어린 걸음으로 조심스레 다가갔다. A는 모자를 더욱 깊게 눌러쓰고는 눈을 질끈 감았다. 그러고는 입안의 공기를 꿀꺽 삼킨 뒤 소리로 다시 뱉어냈다.

"누……누구시죠?"

가늘게 떨리는 목소리가 새어나왔다. 작은 소리였지만 그 소리를 들은 여자는 얼굴이 맑게 펴지며 반가운 목소

리로 빠르게 말들을 쏟아냈다.

"아, 역시 누군가 있었군요. 다행이에요. 당장 내일도 출근해야 하는데 눈을 떠보니 이 숲이지 뭐예요. 갑자기 사람들이 나무로 변하지 않나 꿈이라면서 영원히 깨어나지 못할 수도 있다며 겁을 주지를 않나, 도통 알 수 없는 일들만 벌어져서 무서웠거든요."

A는 순간적으로 자신을 향해 밀려드는 말들이 피곤하게 느껴졌다. 눈의 초점을 정면 15도 정도의 허공 어딘가에 위치해두고 쏟아져 내리는 말소리들을 흘려보냈다. 어디선가 나타난 그녀 또한 A가 자신의 말을 전혀 신경쓰지 않고 있다는 걸 직감했는지 잠시 말을 끊고 반응을 기다리더니 체념했다는 듯 짧게 입을 열었다.

"미안해요. 그쪽도 혼란스럽죠?"

그녀는 그렇게 말하고는 조심스러운 걸음으로 몇 걸음을 옮겨 A가 몸을 붙이고 있는 나무 쪽으로 다가왔다. 그리고 적당히 자리를 잡고 앉아 나무 기둥에 등을 기댔다. 물론 대화가 오가지는 않았다. 어쩌면 A가 생각을 정리하고 자신이 해를 입힐 만한 사람이 아니라는 걸 인지할 수 있도록 기다려준 것일지도 모르겠다. 다만 그 시간을 갉아먹고 한자리를 꿰찬 무거운 정적은 A와 그녀 누구에게도 좋은 선택지가 아니었음을 깨닫게 해주었다. A는 그 어색한 기류에 더욱 불편함을 느꼈고, A의 소리를 듣고 찾아온 누구인지 모를 여자는 입을 뗄 줄 모르는 A와 그렇게 무거워져만 가는 공기가 답답해 미칠 것만 같았다.

"저기요."

결국 그 분위기를 견디지 못하고 정적을 깬 것은 A를 찾아온 여자 쪽이었다.

"여기가 어떤 곳인지 알아요? 사람을 나무로 만들어버리는 곳이래요. 그것도 꿈을 포기한 죄로요."

역시 A는 대답이 없었다. 그러나 그녀는 계속 말을 이어갔다. 어색한 공기 속에서 안절부절못할 바에는 혼잣말이라도 지껄이는 게 나을 듯해서였다.

"알아요. 말도 안 된다는 거. 제가 방금 두 눈으로 직접 보고 오는 길이거든요. 뭐, 믿고 안 믿고는 그쪽 자유겠지만요. 그래도 내가 하는 말을 허투루 듣지는 않았으면 좋겠어요. 보니까 뒤늦게 깨닫고 후회해봐도 별수 없는 것 같았거든요."

"알아요."

한참이나 입을 닫고 있던 A가 대답했다.

"나도 봤어요. 방금. 여기서."

‘대화’라기보다는 몇 안 되는 어절의 나열에 불과한 대답이었지만 드디어 열린 A의 입에 그녀의 목소리는 다시 화색을 띠었다.

"와, 드디어 입을 열었네요. 그나저나 그쪽도 그걸 본 거예요?"

그녀는 반가움과 놀라움이 적절히 섞인 목소리로 A에게 물었다.

"그쪽이 오기 전까지 여기에서요."

A의 목소리는 아직까지도 떨림이 완전히 가시지는 않은 상태였지만 조금씩 목소리에 힘이 돌아오고 있었다.

"네, 나무 인간 두 명이 말을 걸더라고요. 지금은 완전히 나무가 되어버렸지만요."

"그들 말고 다른 사람 만난 적은 없고요?"

"네, 없어요."

"그렇구나……그래도 다행이에요. 제 말을 믿어줄 사람이 한 명이라도 있다는 게. 그쪽 못 만났으면 무서워서 못 견뎠을 거예요."

그녀는 쓸쓸한 듯 말했다. A는 따로 반응하지 않았다. 사실 A의 마음속은 여전히 혼란과 불안으로 가득 차 있었던 탓이다. 혼자였으면 견딜 수 없을 정도로 두려웠을 거라는 그녀의 말에 공감이 가면서도 이런 말도 안 되는 곳에서 일면식도 없는 누군가를 만난다는 건 A로서는 그다지 유쾌한 일은 아니었기 때문이다.

A가 별다른 반응이 없자 숲속 어딘가에서 나타나 A에게 다가온 그녀는 입술 새로 조소 어린 한숨을 흘려내고는 말을 이었다.

"나 원 참, 꿈을 포기한 죄라니. 말 같지도 않은 소리 아니에요? 그렇게 따지면 요즘 세상에서 나무가 되지 않을 사람이 어디 있겠어요. 그런데 왜 하필 나무가 되어야 하는 사람이 나냐는 말이에요. 휴, 어쩌겠어요. 내 인생은 늘 그래왔는걸. 이런 게 바로 내 인생이죠. 항상 제대로 되는 게 없었어……"

깊이를 알 수 없는 한숨이 섞인 푸념이었다. A 또한 마음속으로는 그 말에 깊이 공감했다. 안 그래도 서러운 삶이었는데 도저히 상식적으로는 납득할 수 없는 일에 휘말려 꼼짝없이 죽게 생겼다니.

"그러게요……."

A는 자기도 모르게 몸 깊은 곳에서부터 나온 한숨과 함께 대꾸했다.

"그나저나 그쪽도 여기에 있는 걸 보니 꿈이 없다거나,

꿈꾸던 걸 때려치웠다거나 뭐 그런 거예요?"

그녀는 그렇게 운을 떼고는 계속해서 말을 이어갔다.

"저는요 그래도 정말 이루고 싶은 꿈이 있었어요. 그런데 꿈이 너무 컸던 탓일까요. 깨질 때도 너무 큰 조각으로 깨져서 더 아프더라고요. 원래는 밴드를 했었는데, 밴드라는 게 혼자 하는 게 아니다 보니 의견 맞추기도 쉽지가 않았고 나이도 이만큼 차니까 먹고 사는 문제도 무시할 수 없더라고요. 그래서인지 돈이 없으면 마음 맞는 사람은커녕 손을 맞댈 사람조차 구할 수가 없었죠."

말을 하는 중간중간 그녀의 목청 언저리에 수시로 한숨이 맺혔다.

"무엇보다 저는, 그리고 우리는 재능이 있는 것 같지가 않았어요. 오디션을 보러 가든 행사를 나가든 번번이 재능 있는 녀석들에게 밀리기 일쑤였어요. 그렇게나 노력했었는데 역시 재능을 따라가기에는 무리였나봐요. 뭐, 그 친구만 아니었다면 그래도 어떻게든 해볼 수 있었을지 모르겠지만요."

그녀는 그렇게 말하고는 이제는 아무렇지 않다는 듯 어깨를 으쓱하며 말했다.

"그러니 뭐 별수 있겠어요? 밴드는 그대로 해체돼버렸

죠."

우수에 젖은 그녀의 목소리 때문인지 그를 매개로 전해지는 기의記意에서는 사뭇 진지한 분위기가 풍겼다. 어느덧 A 또한 그 분위기에 동화되어 부담스럽게만 느껴지던 그녀의 이야기에 귀를 기울이고 있었다. 물론 그렇다고 해서 A가 그녀의 말에 마음 깊이 공감하고 연민했다는 뜻은 아니다. 따지자면 그 반대였다.

우선 가장 거슬렸던 건 '재능' 따위를 운운하는 거였다. 그 말은 어린 시절부터 A를 따라다녔던 말이었다. 하지만 그 말은 너무 쉬웠다. 십수 년 동안이나 이어져 온 노력으로 만들어진 자신의 그림을 고작 두 음절밖에 안 되는 그 단어 속에 담아버리는 건 도저히 받아들일 수가 없었다.

그리고 두 번째. 자기가 하고 싶어서 하는 일에 다른 사람들이 얼만큼의 재능을 가지고 있든 그게 무슨 상관인지 이해가 되지 않았다. 그들이라고 해서 그저 재능 따위에만 의지해 그 자리에 설 수 있었던 건 아니었을 것이요, 무엇보다 재능의 차이가 있다고 한들 같은 그림을 그려내지는 않았을 테니 그것만으로 설 자리를 잃었다는 건 핑계다. 마지막으로 '그 친구'가 누구인지, 무슨 짓을 했던 건지는 모르겠지만 어찌됐든 제3자를 걸고 넘어진다는 것까지. 근본적인 마인드셋에서부터 잘못되었으니 재능 여하를 떠나 그들이 살아남지 못한 건 어쩌면 지극히 당연한 일이었다.

A는 답답한 마음에 뭐라도 일침을 날려주고 싶었지만 그랬다가는 귀찮은 일을 피할 수 없을 것 같아. 다시 입을 다물었다. 따지고 보면 본인도 그녀와 마찬가지로 이런 곳에 휘말리게 된 별반 다를 것 없는 인간이기도 했고 말이다. 그런 처지에서 누가 누굴 뭐라고 할 수 있겠는가.

A가 잠시 그런 고민을 하고 있던 찰나 한창 자신의 이야기를 펼쳐놓던 여자는 딱히 A에게 대답을 기대한 건 아니었다는 듯 다시 본래의 질문으로 돌아와 A에게 물었다.

"아무튼 그쪽은요?"

"저도 별반 다르지는 않아요. 차이라면 저는 그림을 그렸죠."

A는 머릿속에 떠올랐던 여러 생각들을 치워버리고는 지금까지의 일들을 곱씹어가듯 빠르지는 않은 속도로 이야기를 꺼냈다.

"출발은 나쁘지 않았어요. 학부 시절 촉망받던 인재였고 졸업과 동시에 꽤 괜찮은 규모의 갤러리와 계약을 맺었죠. 문제는 거기서 끝이었다는 거지만요. 그림이 단 한 점도 팔리지 않았거든요. 그리고 그때부터 담당자가 점점 제 그림에 간섭하기 시작했어요. 결국 제 그림은 제 그림이 아니게 되었고요. 갓길에 세워진 트럭에 한가득 실려 떨이로 팔려가는 액자 속 상품들과 다를 게 없었죠. 색깔이랄 게 전혀 없었거든요. 그럴수록 더 짙고 화려한 색으로 캔버스를 채웠지만 아이러니하게도 점점 더 무채색에 가까운 그림이 되더라고요."

A는 잠시 호흡을 가다듬고는 다시 말을 이어나갔다.

"웃기지 않아요? 언제는 제 그림 세계와 저만이 가질 수 있는 색깔이 마음에 든다며 계약서를 들이밀더니 인제 와서는 자기들 입맛대로 재단하려고 한다는 게. 뭐, 그래도 이해는 돼요. 담당자나 저나 갤러리에서 돈을 받는 직원에 불과했으니 밥값을 해야만 했죠. 실제로 담당자가 간섭하고 난 이후부터 조금씩이나마 그림이 팔려나가기도 했고요. 스스로 납득할 수가 없었을 뿐이죠."

말을 마친 A는 잠시 몸을 돌려 그녀가 있는 쪽을 바라보았다. 그녀는 나무 기둥에 등을 붙이고 앉아 있었다. A의 눈에는 그녀의 등만 보일 뿐이었기에 그녀가 어떤 얼굴을 하고 있는지 전혀 알 수가 없었지만 그녀 또한 A가 그녀의 이야기를 들었을 때처럼 적지 않은 생각들이 머릿속에서 유영하고 있음이 분명하다는 것쯤은 알 수 있었다.

"그래도 좋겠어요."

그녀가 다시 입을 연 것은 '곱씹어볼 시간'이라고 하기에는 꽤 많은 시간이 흐른 뒤였다.

"그쪽은 그래도 꽤 괜찮은 곳에 작품을 내걸어보기라도 했었잖아요. 지금까지도 계속 그림을 하고 있기도 하고요. 촉망받던 인재였다고 하더니 역시 재능 있는 사람은 다르네요."

목소리에서부터 쓸쓸함이 역력한 그녀의 말에 A의 미간이 꿈틀거렸다.

"재능이라……쉽게 말하시네요."

A는 자기도 모르게 격양된 목소리로 되받아쳤다.

"아, 기분 나쁘게 하려는 의도는 아니었어요. 그래도 갤러리와 계약해서 소속 작가로 그림을 내걸 수 있다는 건 분명 대단한 일이잖아요. 저처럼 제대로 된 빛도 못 보고 스러지는 사람들도 많으니까요."

B는 생각지도 못한 답이 돌아왔다는 듯 놀란 표정으로 손사래를 쳤다.

"그럼 뭐해요. 정작 제가 그려야 했던 건 제 그림이 아니었는걸요. 그런 걸 화가라고 할 수 있을까요. 그냥 복사기죠 뭐."

A가 말을 마치기 무섭게 여자가 곧장 말을 붙였다.

"그러면 어때요. 어쨌든 그쪽이 직접 그린 그림이 그쪽 이름으로 걸리는 거잖아요. 저는 차라리 그런 복사기 같은 존재라도 좋으니 조그마한 빛이라도 볼 수 있었으면 좋겠어요."

그녀의 목소리도 이전보다 조금 상기되어 있었다. 이에 A는 짤막한 한숨을 뱉고는 말을 이었다.

"그래서 안 됐던 거예요."

"네?"

"그쪽 밴드 말이에요. 자기 색깔이나 신념이랄 것도 없이 맹목적으로 내달리기만 하는 걸 누가 좋아라 하겠어요? 재능 같은 걸 들먹이기 전에 그런 기본적인 것부터 생각해봤으면 달라질 수 있었을 것 같네요. 거기다 남 탓까지……한심하네요."

어느덧 맥없이 늘어지던 A의 목소리에도 필요 이상으로 힘이 들어가 있었다.

"쉽게 말하는 건 제가 아니라 그쪽인 것 같은데요. 제대로 시작도 해보기 전에 실패를 먼저 겪게 되는 그 기분을 알아요? 게다가 남 탓이라니, 그 친구가 어떤 일을 벌이고 갔는지도 모르면서 한심하다느니 말할 수 있는 자격이 돼요?"

그녀는 A를 강하게 쏘아붙이고는 빠르게 숨을 고른 뒤,

"하긴 그 기분을 알 리가 없지. 이래서 재능 있는 사람들은 안 돼. 다들 자기 같은 줄 안다니까."

하며 비아냥 섞인 목소리로 혼잣말을 했다.

"내가 쉽게 얘기한다고? 아니, 그 누구라도 그렇게 대답했을걸. 쉽게 얘기하고 있는 건 바로 당신이니까. 본인 꿈에 대해서도, 남의 꿈이나 노력에 대해서도!"

그녀의 태도를 도저히 견딜 수 없었던 A는 자리에서 일어나 그녀의 면전에 대고 한껏 상기된 얼굴로 말을 쏟아부었다. 갑작스러운 상황에 그녀는 잠시 당황하기는 했지만 그녀 또한 이내 자리를 박차고 일어나 A의 눈을 노려보았다.

FairyTale 04.

B. 열등감의 의미

B는 인기척이 느껴지는 곳을 서성였다. 최대한 애처로운 목소리를 내려고 노력했다. 이미 냉정해진 B는 정보를 공유할 사람이 있으면 이곳에서 탈출할 확률이 높아질 것 같다고 생각했다. 하지만 숲에 어떤 인물이 있을지도 몰랐고 혹여나 위험한 상황에 대비하기 위해 한쪽 손에 라이터를 꽉 쥐었다. 크게 의미 없는 일이라는 걸 그녀도 알고

있었지만, 그렇게라도 해야 마음이 조금이라도 안정됐다. 느꼈던 인기척이 착각인가 싶을 정도로 고요한 장소를 떠나려던 차, 나뭇가지가 부러지는 소리가 들렸다.

"누, 누구시죠?"

B는 가녀린 목소리가 들리는 곳으로 다가갔다. 그곳에는 새하얗게 질려 몸을 덜덜 떨고 있는 여성이 있었다. B는 쥐고 있던 주먹에 힘을 풀고 들키지 않게 뒷주머니에 라이터를 집어넣었다. 반가운 마음에 말을 우다다 쏟아낸 B는 멍한 표정으로 자신을 바라보는 여성을 보고 머리를 긁적였다. B는 대답할 시간을 주려는 의도로 말에 텀을 주었지만, 돌아오는 대답은 없었다. 참지 못한 B는 결국 먼저 입을 열었다.

"미안해요. 그쪽도 혼란스럽죠?"

여성이 겁먹지 않도록 조심스럽게 움직인 B는 적당히 떨어져 그녀 옆에 자리 잡고 등을 나무에 기댔다. 참기 힘든 침묵이 이어졌지만, 여기서 조급하게 행동해 봐야 도움될 것이 없다는 걸 알았기에 B는 우선 침묵에 동조하기로 했다. 하지만 바람 부는 소리조차 없는 이 숲속에서 오랜 침묵을 유지하는 것은 너무나도 어려운 일이었다. 곧 인내심이 바닥을 쳤고, B는 입을 열었다. 경박한 사내에게 들은 정보를 무대에서 방백을 읊조리는 배우처럼 허공에 연신 던졌다. 꿈이 포기한 이들이 오는 곳이라는 것, 나무로 변할 수도 있다는 것, 우리도 어쩌면 시간이 얼마 없을 수 있다는 것까지 알고 있는 모든 것을 얘기했다. 그녀의 간절함이 통한 건지, 그제야 여성은 짧게나마 대꾸해줬다.

나무로 변한다는 게 진짜라는 사실이 비통했지만, 여성이 대답해 줬다는 점에 B의 얼굴에는 미소가 걸렸다. 여성은 B와 만나기 전에 이미 나무로 변한 사람 둘을 만난 상태였다. B는 자신과 같은 이상한 경험을 한 사람이 있다는 것에 묘한 안도감을 느끼며 조금 더 그녀에게 다가갔다. 그래서 그런지 처음 만난 사람에게 할만한 이야기는 아닌 푸념을 늘어놨다. 말을 끝마친 B는 아차 싶었지만, 의외로 여성은 나름의 호응을 해줬다. 거기에 더 신이 나서 누구에게도 털어놓지 않았던 속내를 말해버렸다.

B는 재능을 운운하는 걸 좋아하지 않았다. 하지만 눈앞에서 거대한 재능을 마주했을 때 느껴지는 허탈함과 열등감은 그간 생각을 모두 부정할 정도로 압도적이었다. 빛이 난다고 생각했던 사람도 더 큰 재능을 마주하고 스스로 망가지는 모습을 본 B로서는 더 이상 재능을 운운하지 않을 수 없었다. 지금도 재능이 전부라고 생각하는 건 아니

었지만, 시작점이 다르다는 것은 단언할 수 있었다. 씁쓸하지만 자기 얘기를 터놓은 B는 조금은 후련한 마음이었다. 하지만 자기 얘기만 한 건 아닌가 싶어 여성에게도 무슨 일이 있었는지 물어봤다.

여성은 그림을 그리는 사람이었다. 게다가 나름 유망한 인재였던 것 같았다. 그림 이야기를 들으니 문득 혜정의 얼굴이 떠올랐다. 쓸데없는 생각이라며 고개를 젓고 여성의 이야기에 집중했다.

"스스로 납득할 수가 없었을 뿐이죠"

B는 좋은 울림을 주는 말이라고 생각했다. 하지만 또 안타까운 말이라고 생각했다. B는 여성의 이야기를 듣고 있을수록 한때 동경하던 존재이자 지금은 원망이 더 커져 버린 애증의 그녀가 생각났다. 그러면서도 부러웠다. 하고 싶은 일을 계속하면서 괜찮은 곳에 자기 작품을 올려보기도 했으니까. 마치 작품을 찍어내는 기계처럼 자신을 말하는 투였지만, 오히려 혜정이 작곡해 온 곡을 그대로 치려고만 했던 자신이 더 기계 같지 않았나 생각했다.

'그게 무슨 상관이야. 그렇게라도 계속 무대에 설 수 있었으면 그렇게 했을 텐데.'

그래서 사족이 더 붙었다. 재능이란 단어를 얘기했을

때, 움찔거리던 여성의 눈썹을 봤다면 더 하지 않을 말이었다. 하지만 이미 밖으로 내뱉어진 말은 다시 주워 담을 수 없었다. 여성은 처음으로 감정적으로 대답했다.

"쉽게 말하시네요."

B는 무언가 잘못됨을 느끼고 손사래를 쳤다. 그녀는 단지 여성이 대단하다고 말하고 싶을 뿐이었다. 속에는 부러움과 열등감이 내재되어 있었지만, 대단하다는 생각만큼은 진짜였다. 하지만 재능 있는 이들의 생각은 달랐는지, 여성은 바짝 날이 선 목소리로 대답했다.

"그래서 안 됐던 거예요."

정면에서 부정당하니 B의 머릿속이 새하얘졌다. 그와 반대로 가슴 속이 활화산처럼 부글부글 끓어올랐다. 처음 본 사람이 자신에 대해 뭘 안다고 함부로 그런 얘기를 하는지 도저히 이해할 수 없었다. 게다가 재능이 있는, 출발점이 달랐던 사람이 그리 얘기하니 도저히 참을 수 없었다. 저 오만한 여자가 내뱉는 모든 말을 반박하고 싶었다. 여성은 격양된 상태로 자리에서 일어나 B에게 다가와 말을 쏟아냈다. 작은 동물처럼 행동하던 여성이 먼저 다가오자, B는 당황했다. 하지만 여기서 눈을 돌리면 그동안의 삶이 모두 부정당하는 것만 같아서 지지 않고 일어나 여

성의 눈을 똑바로 바라봤다. 두 사람 모두 도화선에 불이
붙은 것처럼 이내 폭발할 것만 같은 분위기였다.

절대로 피하고 싶었던 상황, 내가 지금 여기서 이 한심한 작자랑 뭘 하고 있는 건지. 상기열 때문인지 머리가 제대로 굴러가지 않았다. 그래도 지금에 와서 이 상황을 피할 수는 없었다. 여기서 내가 먼저 피한다면 한심하기 짝이 없는 이 여자는 끝까지 자기가 옳은 줄로 알 테니까 말이다. 여자 또한 비슷한 생각이었는지 쉽게 물러나지 않았다. 오히려 날카로운 목소리로 본인이 지금까지 얼마나 많이 노력했고, 또 얼마나 실패했는지, 그리고 그 혜정인지 뭔지 하는 친구 때문에 얼마나 힘들었는지에 대한 장황한 일대기를 쏟아냈다. 그러나 그런 사람들이 쏟아내는 이야기가 으레 그러하듯 뻔해 빠진 자기합리화 내지는 변명 정도에 불과한 이야기들이었다.

사실이 그렇지 않은가. 무언가를 꿈꾼답시고 그 정도도 노력하지 않는 사람은 없다. 만약 있다고 해도 그건 노력의 방법을 모른다거나 자기애가 지나친 경우다. 특히나 남을 걸고 넘어지는 것은 어떻게도 합리화할 수 없는 최악의 변명이었다. 한때의 나 또한 그런 별 볼 일 없는 단계에서 벗어나지 못했던 때가 있었기에 누구보다 명확하게 그 사실을 알고 있었다.

초등학교 시절의 나는 딱히 그림이란 걸 배워본 적이 없었음에도 교내외의 대회에서 상을 휩쓸었었다. 주변 친구들이나 그들의 부모님들도 항상 그런 나를 보며 비결이 뭐냐느니 미술 학원은 어디를 얼마나 다녔냐느니 하는 내용으로 이야기의 물꼬를 텄다. 그러나 내게 비결 따위는 없었다.

"그냥 그렸어요."

그게 내가 해줄 수 있는 최선의 대답이었다. 미술 학원을 다녀본 적도 없었고. 그저 눈에 보이는 대로, 혹은 머릿속에 떠오르는 대로 그렸을 뿐이었으니까. 대답을 들은 그들은 조금 실망하는가 싶더니 이내 표정을 바꿔

"수경이는 천재인가 보구나!"

하고 들뜬 목소리로 칭찬해주었다. 그때의 멋모르던 나는 그게 진실인 줄 알고 살아갔다. 하지만 본격적으로 예중 입시에 돌입하면서부터 그 환상은 완전히 박살나버렸다. 재능이랍시고 믿고 있던 건 아무것도 아니었다. 진정 '이런 게 바로 재능이구나' 싶을 정도로 날아다니는 아이들은 내가 아닌 그들이었다. 그러나 그들은 그런 재능을 가지고 있으면서도 끊임없이 노력했다. 굳이 묻거나 들여다보지 않아도 손때 묻은 화구가 모든 것을 얘기해주고 있었다.

예중 입시에서 떨어지고서는 예고를 바라보며 곧장 미술 학원에 등록했지만 다시 중심을 잡지까지는 적지 않은 시간이 걸렸다. 내가 재능 따위는 없는 범인이었다는 충격, 그럼에도 그들과 경쟁해야 한다는 막막함. 그 모든 게 두려웠다. 그나마 다행스러운 것은 그 두려움을 오기로 바꿔내는 게 어렵지는 않다는 것 정도였을까. 학교가 끝난

뒤에는 학원에서 살다시피 했다. 자정이 다 되는 시각까지 그림을 그리다 귀가하는 게 일상이었고 어떤 때에는 밤새 그림을 그리다 그대로 등교를 한 적도 적지 않았다. 좌절해 있는 시간 동안 벌어졌을 거리를 생각하면 이전처럼 태평하게 있을 수가 없었다.

꼬박 3년을 그렇게 지내고 나니 꽤 괜찮은 예고 입시 정도는 충분히 통과할 수 있을 정도의 수준까지는 올라올 수 있었다. 내 스스로만 그렇게 생각했던 게 아닌 학원 선생님부터 주변의 누구라도 그렇게 이야기할 정도였다. 그러나 불안은 좀처럼 떨쳐내기가 어려웠다. 어디에 숨어 있었는지도 모를 괴물 같은 녀석이 나타나 내 그림을 캔버스 위의 무의미한 낙서 정도로 만들어버리고는 하찮다는 듯 고개를 젓는 영상이 머릿속에서 무한히 재생되었던 탓이다. 그리고 그 불안은 당연하겠지만 입시에서도 좋지 못한 영향력을 행사했다. 본래 실력의 반 정도나 발휘했었던가. 어찌 됐든 예고에 진학하긴 했지만 최초 지망했던 곳보다는 한 단계 낮은 급의 학교로 갈 수밖에 없었다.

"너보다 잘 그리는 애들이 몇이 있든 그게 무슨 상관이야. 너는 그저 네 그림을 그리면 돼. 캔버스에 너만의 색깔을 채워나가다 보면 분명 그들을 뛰어넘는 좋은 그림을 그릴 수 있을 거야. 봐, 지금 네가 그린 그림도 엄청 좋은 그림이잖아."

선생님께서는 불안에 삼켜진 나를 보면서 그렇게 조언해주셨다. 지금 보면 정말 간단한 진리였지만 내가 그것을 깨달은 것은 그로부터 조금 더 시간이 흐른 뒤였다. 어쩌면 그때부터 나만의 색깔, 나만의 그림에 목을 매게 되었던 것 같다. 다른 이들과 차별화되는 느낌의 그림이 완성됐을 때 조금이나마 불안을 떨칠 수 있었고 나 스스로도 내 그림에 만족할 수가 있었다. 그런 시간 끝에 비로소 내가 완성되었던 거다.

"알겠어요? 당신네들이 '재능'이라고 치부하는 것들이 사실은 엄청난 시간과 노력 위에 세워진 거라는 사실을요. 하지만 당신도 여느 사람들이 그렇듯 이런 사실에는 전혀 관심이 없겠죠. 우리의 성과는 노력이 아닌 재능이어야 할 테니까요. 그래야만 당신들의 실패가, 그리고 그 부족한 노력이 합리화될 수 있을 테니까요."

내 말이 끝나자 그녀는 잠시 아무런 말도 하지 못하고 고개를 돌려 나를 바라보고 있을 뿐이었다. 그리고 아주 약간의 시간이 흐른 뒤 조금은 가라앉은 목소리로 다시 입을 열었다.

"그래요, 그쪽이 얼마나 노력했는지 알겠어요. 재능만으로 되는 건 없다는 것도 알겠고."

그리고 한동안 숨을 고르더니,

"미안해요. 그쪽 말대로 내가 쉽게 말했던 거 같네요. 그때의 저는 왜 그 사실을 알지 못했던 걸까요. 간절하지 않았던 건 절대 아니었는데……. 그래요, 사실 알지 못했던 게 아니라 마주하고 싶지 않았던 거였겠죠."

그녀의 목소리가 불안정하게 떨렸다. 아주 조금이라도 더 자극한다면 이내 터져버릴 것만 같았다. 그래서 더는 말을 이을 수가 없었다. 하지만 이 말만큼은 꼭 해야만 했다. 누그러든 그녀의 모습을 보자 더더욱 그런 확신이 들었다. 꼴깍하는 소리가 들릴 정도로 침을 삼키며 결심을 굳힌 뒤 말을 던졌다. 혹여나 그녀가 와르르 무너져 내리지는 않을까 나도 모르게 눈을 질끈 감았다.

"고마워요, 그래도. 어쨌든 그쪽 덕분에 뭐라도 다시 할 마음이 생겼어요. 당장 뭐가 되든 아니든 내가 포기하지만 않으면 끝나지는 않을 테니까요."

다행히 한참만에 짧고 강렬한 한숨을 내쉰 후 그녀의 입에서 나온 목소리는 그 한숨과 함께 많은 것을 덜어낸 듯 홀가분했다. 진심으로 다행스러운 일이었다. 안도감에 나는 그 자리에 털썩 주저앉았다. 그러자 그녀 또한 내 옆으로 와 나란히 자리했다. 한 차례의 거대한 폭풍이 물러간 탓인지 기분이 조금은 맑게 개이는 듯했다. 그녀의 얼굴 또한 굉장히 편안해 보였다. 더 이상 마음에 거리낄 게 아무것도 없는 것처럼.

꽤 오랫동안 정적이 흘렀지만 결코 불편하지는 않았다. 내게는 여전히 답답한 부분이 남아 있기는 했지만 그런 건 최대한 생각하지 않으려고 노력했다. 지금은 그저 얼마만인지 모를 이 편안함을 느끼고 싶었다.

"저기요."

그때 옆에서 나를 살피던 그녀가 말을 걸어왔다. 이전처럼 정적이 불편해서 억지로 말을 꺼내는 건 아닌 듯했다. 말을 골라낼 시간이 필요했던 건지는 모르겠으나 그녀가 입을 연 것은 그로부터 조금 더 시간이 흐른 뒤였다.

"그림 속에 꼭 그쪽이 짙게 배여있어야만 하는 거예요?"

그녀는 조심스럽게 물었다.

"그게 무슨 말이에요?"

나는 그 질문의 의도를 이해할 수가 없어 되물었다. 그러자 그녀는 더욱 진지한 표정과 목소리로 말을 이었다.

"당신의 색깔이 짙게 밴 그 그림은 독특함으로 잠깐의 눈길만 끌 뿐, 정작 사람들의 마음을 움직이지는 못했다면서요. 그걸 보고 과연 예술이라고 할 수 있을까요."

나도 모르게 미간이 찌푸려지긴 했으나 참을성 있게 그녀의 다음 말을 기다렸다. 그녀의 목소리와 말투, 표정에서까지 그 말이 아주 신중하게 골라낸 단어를 조심스럽게 내게 건넸음이 느껴졌기 때문이다.

"그냥, 그쪽이 어떤 마음으로 그림을 그리고 있는 건지 모르겠어서요. 저는 예술이라는 게 다른 사람들과 나눌 수 있는 것이어야 한다고 생각하거든요. 그러니까 본인의 신념이나 개성이 아무리 잘 드러나는 작품이라고 하더라도 그걸 다른 사람들과 나눌 수 있도록 잘 녹여내지 못한다면 그게 얼마나 큰 의미를 가질 수 있을지……그저 자기과시에 불과한 게 아닐까 하는 생각이 들어서요."

그녀가 신중하게 골라내고 조합해낸 그 말은 거대한 폭풍이 되어 내가 그간 쌓아왔던 모든 것들을 속속들이 헤집어놓았다. 그녀의 말대로 그림을 그릴 때의 내 마음은 어땠을까. 가장 근원적인 질문이었으나 나는 쉽게 대답할 수가 없었다. 그것은 언제부터인가 내 관심사에서 멀어져 있던 내용이었다.

'그럼 지금껏 내가 좇았던 건 뭐지?'

처음 그림을 그렸던 시절부터 돌아보자면 그때는 그저 좋아서였던 것 같다. 예쁜 것들을 눈에 담는 게 좋았고 그것들을 화폭에 담아낼 수 있다는 게 더없이 즐거웠다. 그리고 그걸 좋아해주는 사람들이 좋았다. 박수와 찬사가 아닌 내가 본, 혹은 내 머릿속에 떠오른 아름다움을 내가 사랑하는 사람들과 나눌 수 있다는 사실에 행복했던 거다. 그런데 지금의 나는 왜 사람들의 박수에만 목을 매고 있었던 걸까. 그것도 오로지 나의 세계만 가득한 그림으로 말이다.

아무도 듣지 않는 이야기는 그저 입가에만 머물 뿐이다. 많은 사람들이 귀를 기울여야 비로소 이야기로 기능할 수 있다. 때문에 이야기꾼은 본인이 하고 싶은 이야기가 아닌 사람들이 듣고 싶어하는 이야기를 해줘야 한다. 그건 비단 이야기꾼만의 문제는 아니다. 그림을 그리는 사람도, 노래하는 사람도 마찬가지다. 어쩌면 내가 간섭이라고 생각했던 여러 사람들의 이야기들도 내 그림이 나만의 그림이 아닌, 나눌 수 있는 그림이 될 수 있도록 방향을 안내해줬던 게 아니었을까. 그림이 팔리기 시작했던 것도 그때부터 였고, 내 그림을 그리겠다 선언하면서부터 점점 더 기괴한 그림이 그려지기 시작했던 것도 사실이었으니까. 아주 간단한 진리였음에도 나만 모르고 있었던 거다. 그러면서도 타인의 재능이 어떻든 본인만 잘하면 된다느니 하는 말들을 떠벌려놨었다니. 사람이 이 이상으로 추해질 수 있을까. 주변에 아무도 남지 않게 된 것도 어쩌면 당연한 일이었을지도 모르겠다.

"맞아요. 나는 왜 나를 그리는 것에만 집착했을까요. 중요한 건 내 색깔이 아니라 어울림이었는데 말이죠."

그리고는 잠시간 말을 잇지 못해 입술만 달싹거리고 있었다. 그러나 인제 와서 자존심 따위가 뭐가 대수겠는가. 지금이야말로 그런 알량한 것 따위는 내버려야 할 때였다.

"고마워요. 그리고 미안해요. 정작 한심했던 건 나였는데 말이죠."

나는 차마 떨어지지 않으려는 두 입술을 벌려 해야 할 말을 했다. 말라 있던 입술이 갈라져 아릿한 통감이 느껴졌으나 마음만은 한결 편안해진 것 같았다.

어디선가 은근한 테레핀 향이 풍겨오는 듯했다.

"아니에요. 그쪽 말대로 타인을 방패막이로 세워두고는 아무것도 하지 않은 채 합리화만 하고 있던 저였던걸요. 그쪽이 그렇게 말해주지 않았다면 언제까지고 그렇게 살았을 거예요. 그러니 제가 고마워해야 할 일이죠."

머릿속 안개가 걷히며 흐리게만 보였던 캔버스 위의 형상이 떠올랐다. 몸이 뜨겁게 달아오르며 당장이라도 붓을 들고 싶다는 충동이 일었다. 이렇게나 가슴이 뛰었던 게 얼마 만인지.

나는 그녀를 향해 다가갔다. 그녀 또한 나를 보며 다가왔다. 이전에 붉었던 얼굴도, 모든 걸 잃어버린 것만 같았던 눈빛도 없었다. 오히려 우리 둘 모두 한껏 밝아진 미소로 서로를 마주했다.

FairyTale 05.

B. 스포트라이트

저 여자의 말이 전부 맞는 말이라고 하더라도, 인정할
수 없었다. 초라한 결말을 향해 달려왔지만, 그 결과를 무
시하는 건 참을 수 있어도 그 과정을 무시하는 건 참을
수 없었다. 특히나 이 결과의 책임이 온전히 내게 있는 것
처럼 치부하는 건 더더욱 참을 수가 없었다.

"나도! 노력할 만큼 했어요. 코드 하나가 제대로 안 잡

혀서 그날 손에 피가 흐를 때까지 베이스를 치기도 했고, 무대 하나라도 더 서보려고 거리 안 따지고 공연장 찾아보고, 개무시하는 인간들 비위 맞춰가며 굽실거린 것도 한두 번이 아녔다고! 그렇게라도 무대에 서고 싶었어요. 근데 주위 환경이 안 도와주는 걸 나보고 어쩌라고요? 갑자기 밴드 주축이었던 보컬이 나가고, 연출팀에서는 다른 밴드 멤버한테 무시당하고, 다시 시작해보려고 해도 지금을 살게 해줄 돈도, 능력도 없는데. 내가 뭘 더 어떻게 노력했어야 하는 건데!"

차라리 노력이 부족했다는 말로 받아들일 수 있었다면, 이렇게 괴롭지 않았을까? 내게 주어진 게 애매한 재능임을 알게 된 순간부터 그 차이를 노력으로 메꾸기 위해 지독하게 연습했다. 밥 먹는 시간과 자는 시간을 제외하면 베이스를 손에서 놓지 않았다. 밥 먹는 시간에도 머릿속으로는 계속 운지법을 생각하며 어떻게 하면 더 잘 칠 수 있을지 고민했다. 잠들 때까지 인터넷에 돌아다니는 유명한 베이시스트의 영상과 내 손가락을 비교하며 비슷한 소리가 날 때까지 베이스를 치다가 경비실에서 전화가 온 적도 있었다. 그 일 때문에 베이스를 가져가려던 부모님과 의절 직전까지 싸우기도 했다. 그렇게 해서 나름 밴드의

한 축이 될 수 있었다. 그 상태에서도 실력에 일말의 불안이 있었기에 낯을 가리는 편임에도 연락 담당을 맡았다. 어떻게든 밴드 생활을 이어나가고 싶었다. 재능에 비해 욕망이 컸기에 간절했다. 미련이 가득했다.

그러나 혜정 언니의 돌발행동은 그 누구도 어찌할 수 있는 일이 아니었다. 그래서 혜정 언니가 밴드를 그만둘 때도 그깟 재능의 차이가 뭐라고 저렇게 포기하는지 더욱 이해할 수가 없었다. 자기는 포기하면서 내게 예술을 계속했으면 좋겠다는 말을 들었을 때는 그 자리에 주저앉아 펑펑 울고 싶었다. 빛이라고 생각했던 사람이 포기하면서 내게 남긴 말, 그런 말이 없었어도 나는 계속할 생각이었다. 그래서 문자에 답장하지 않았다. 그냥 증명하고 싶었다. 어떻게든 여기에 살아남아서 포기한 걸 후회하게 만들고 싶었다.

그래서 정 대표님과 일했다. 그나마 무대에 가까이 있을 수 있는 일이었으니까. 어쩌면 다른 기회가 생길지도 모른다고 생각했다. 하지만 그 전에 무대 밑에서 공연장을 누비는 이들을 보는 것이 상상 이상으로 괴로웠다. 그래서 그 인성이 모자란 보컬에 감사했다. 계기를 만들어줬으니까. 나는 여전히 무대에 서고 싶었다. 하지만 욕심은 욕심이고 현실은 현실이었다. 미친 듯이 쏟았던 열정은 그대로 독이 되어 돌아왔다.

내가 할 수 있는 건 방안에 틀어박혀 돈을 최대한 아끼는 방법뿐이었다. 밀려오는 회의감에 벗어나려 베이스를 칠 때도 있었지만, 도저히 전처럼 칠 수 없었다. 이게 다 무슨 소용인가 싶어 기본 2시간은 내리쳤던 베이스를 30분도 안 돼서 내려놓기 일쑤였다. 그러다 아빠가 편찮으시다는 얘기를 전해 들었고, 사그라지던 열정은 완전히 꺼져버렸다. 어쩌면 내가 이 숲에 들어오게 된 건 당연한 일이었다. 그의 말처럼 나 또한 꿈을 포기할 수 있었음에 안도했으니까.

"있잖아요. 왜 그렇게 혜정이라는 이름에 목을 매는지 모르겠어요. 물론 그 사람의 선택으로 인해 일을 그르쳤다면 그건 충분히 원망스러울 수 있는 일이라고 생각해요. 하지만 그건 지금껏 겪어왔고 앞으로도 겪게 될 무수한 실패 중 하나일 뿐이지 않나요? 그저 딛고 다시 일어나면 될 일이죠."

그녀는 불쑥 그런 말을 건넸다. 목소리는 전에 없이 부드럽고 차분했다.

"혜정이라는 사람이 어떤 선택을 했든, 그리고 어떤 결과가 벌어졌든 그건 별개의 문제로 생각하고 당신은 당신의 선택을 해야 한다고 생각해요. 당신 말대로 그 문제는 누가 와도 해결할 수 없는 문제였던 거니까요. 당신은 혜정이라는 사람이 아니에요. 당신은 그저 당신일 뿐이고 그렇기에 당신은 당신의 길을 가면 되는 거죠."

한껏 차올랐던 눈물이 서서히 잦아들었다. 마음을 어지럽히던 것들도 차츰 앙금이 되어 가라앉았다. 그러자 머릿속에서도 미처 정리되지 못했던 것들이 나를 부드럽게 훑고 지나갔다.

동경했다. 눈부신 그들을 좋아했다. 나도 별로 태어났는데 빛이 약해, 다른 이들이 알아주지 않는 것 같았다. 그래서 밝게 빛나는 별 옆에 있었다. 그러면 나도 봐줄 테니까. 실제로 혜정 언니와 함께할 때만 해도 그랬다. 하지만 나를 보는 듯한 시선은 항상 내게서 5도쯤 비껴가 있었다. 그래도 그때는 사람들의 이목이 내 쪽을 향해 있다는 것만으로도 기뻤다. 약간 틀어진 시선이 신경 쓰인다면 혜정 언니에게 조금 더 가까워지면 해결될 문제였다. 그러나 아무리 그렇게 한들 그게 내 빛은 아니었다. 오히려 밝은 빛 바로 옆에 있는 약한 빛은 더 큰 빛에 잡아먹힐 뿐 자신의 존재를 어디에도 각인시킬 수 없었다. 더욱이 나는 혜정이라는 커다란 광원을 마치 내 것인 양 생각하고 스스로 빛을 내고 있다고 착각했다. 그래서 그 빛이 흩어진 순간 원망할 수밖에 없었다. 그 순간 내 빛도 함께 흩어졌다고 생각했으니까. 이 또한 착각이었다. 그게 내가 좌절할 이유는 아니었다. 여전히 빛은 내 안에 있었으니까. 그 빛이 미약할지라도 내가 빛을 내는 걸 포기하지만 않는다면 그 빛은 절대 사라지지 않을 테니까.

어쩌면 내가 혜정 언니를 동경했던 것도, 그리고 그토록 원망했던 것도 혜정 언니가 없다면 아무것도 할 수 없을 것만 같은 내가 한심해서 그랬던 게 아니었을까.

"고마워요"

진심이었다. 그 말을 들은 그녀는 후련하다는 듯 한숨을 내쉬며 서 있던 자리에서 털썩 주저앉았다. 나 또한 그녀 옆으로 다가가 앉았다.

몸과 마음이 가벼웠다. 산들 불어오는 바람에도 날아갈 것만 같았다. 하지만 여전히 그녀의 문제는 해결되지 못하고 있었다. 한층 밝아졌던 그녀의 표정도 아주 조금씩이지만 분명하게 굳어져 가고 있었다. 그녀가 내게 그래 주었던 것처럼 나 또한 그녀를 구해주고 싶었다. 그래서 몇 번이고 그녀의 이야기를 곱씹어봤다. 꽤 시간이 걸리는 일이었지만 그래도 한참을 고민한 끝에 그녀에게 건넬 만한 적절한 이야기를 찾을 수 있었다.

"저기요."

조심스레 그녀를 부르자 역시 편안함 속에 약간의 경직이 남아 있는 듯한 얼굴로 내게 눈을 맞춰주었다. 이에 나는 정성껏 단어를 골라내 그녀에게 첫마디를 건넸다.

"그림 속에 꼭 그쪽이 짙게 배여 있어야만 하는 거예요?"

그녀는 이해가 되지 않는다는 표정으로 무슨 말이냐고 되물었다. 나는 다시 말을 골라낸 후 그녀에게 내 생각을 전했다.

그녀는 자신의 그림이 사람들의 눈길은 끌었으되 마음을 움직이지 못했다고 했다. 그렇다면 그건 그녀의 그림이 기술적으로는 뛰어났지만 그림에 담아내고자 했던 게 오로지 '나', 그 외에는 아무것도 없었기 때문이지 않았을까 하는 생각이 들었다. 그렇다면 그것은 예술일 수가 없었다. 적어도 나는 그렇게 생각했다.

나도 처음에는 내가 좋아서 음악을 시작했었다. 그러나 그것은 이내 내가 에이미를 보고 꿈을 가질 수 있게 되었던 것처럼 나 또한 누군가에게 꿈을 전하고 싶다는 생각으로 바뀌었다. 그래서 나는 더욱 관객이랑 소통하고 싶었다. 내 진심이 전해졌던 건지는 모르겠으나 무대 위에서 우리가 한 곡, 한 곡에 진솔한 감정을 담아서 노래하면 관객들도 온몸으로 반응해 줬다. 나는 그때 처음 느낄 수 있었다. '아, 이게 예술이구나……'하고 말이다.

내 얘기를 들은 그녀의 미간이 약간 찌푸려지긴 했으나 내 이야기가 진행됨에 따라 그녀의 눈동자가 점점 커졌다. 그러고는 곧바로 진중한 표정으로 바뀌더니 한참이나 말이 없었다. 내 이야기가 어떻게든 그녀에게 닿은 걸까? 그랬으면 좋겠다.

한참 뒤에야 그녀의 입술이 움찔거리더니 고맙고 미안하다는 말을 전해주었다. 그러고는 그녀의 얼굴에서 이 숲의 겉모습만큼이나 아름다운 미소가 떠올랐다. 머릿속에서 베이스의 선율이 둥글게 진동하는 듯했다. 나는 완전히 그녀를 향해 몸을 돌려 손을 뻗었다.

비로소 둘은 서로의 손을 맞잡았다. 부드러운 피부의 감촉 너머로 서로의 온기가 혈관을 타고 온몸 곳곳으로 전해졌다. 그러자 밝은 햇살이 하늘을 가득 메우고 있던 나뭇잎들 사이로, 그리고 수경과 서윤의 머리 위로 쏟아져 내렸다. 보랏빛 숲은 어느덧 싱그러운 초록의 세계가 되어 빛이 닿지 않는 곳이 없었다. 미처 시야가 닿지 않는 먼

곳에서는 새들이 조잘거리는 소리와 이제 막 밤잠에서 깨어난 산짐승들이 태동하는 소리가 들려왔다. 가슴 깊이 숨을 들이마시면 녹내음 가득한 맑은 공기가 폐를 가득 채워주었다. 이 숲에 처음 들어왔을 때 느꼈던 꺼림칙한 기분은 더 이상 남아 있지 않았다.

"와……, 예쁘다."

새롭게 밝아온 숲의 경치에 둘은 진심으로 탄복했다. 그러면서도 수경은 자신을 둘러싸고 있는 세계의 빛깔과 형태를 섬세한 눈길로 훑었다. 꿈에서 깨어나 원래 세계로 돌아간다면 지금 이곳의 모습을 캔버스에 담아내리라 다짐했다. 머릿속에 가득 들어차 있던 안개가 걷히면서 완벽하게 어우러진 색과 태를 갖춘 하나의 형상이 분명하게 떠올랐다. 그리고 그 아래에서부터는 테레핀의 향기가 피어올라 수경의 비강을 자극하더니 어느덧 수경의 가슴을 간지럽히고 있었다. 역하게만 느껴졌던 테레핀 냄새가 이렇게나 그리워질 줄이야. 그런 생각에 수경의 입가에 희미한 웃음이 떠올랐다.

서윤 또한 눈을 감고 허공에 손가락을 튕기며 들려오는 숲의 선율을 짚고 있었다. 삭막하기만 한 컨베이어 벨트의 동작 소리가 아닌 생명력이 넘치는 세계의 소리가 오선

위에 뛰놀았다. 여기에 굳이 다른 음색이 필요할 것 같지는 않았다. 낮은 음자리표와 그 뒤에서 역동적으로 움직이는 생기 넘치는 시간들, 몇 개의 덧줄과 네 줄 안에서의 화음이면 충분했다. 음을 짚는 왼손과 줄을 튕기는 오른손의 움직임이 점차 빨라지면서 서윤의 몸 전체가 베이스 특유의 깊은 진동과 공명하며 자연스럽게 들썩였다. 실로 오랜만에 느끼는 전율이었다.

그렇게 둘은 소중한 것을 되찾은 이들에게만 허락된 숲 본연의 아름다움—정확히는 '꿈'의 진정한 아름다움을 온몸으로 만끽했다.

수경과 서윤은 서로에게 가볍게 눈짓하고는 누가 먼저랄 것도 없이 걸음을 뗐다. 이제는 어디로 가야할지 알 수 있었다. 그들의 가슴속에서 피어오른 테레핀 냄새와 음표들이 그들의 발걸음에 길잡이가 되어준 것이다.

둘은 꽤 오랜 시간을 걸었지만 힘들다는 생각은 전혀 들지 않았다. 그들이 나아가는 길마다 햇살이 내리쬐었으며 산짐승들이 반겨준 덕분이었다. 발밑에서 느껴지는 포근한 흙바닥의 감촉도 그들의 피로를 덜어주었다. 굳이 말을 할 필요도 없었다. 맞잡은 손과 오가는 눈빛만으로도 충분했다.

얼마나 걸었을까. 언제부터인가 걸음을 옮길수록 숲을 채우고 있던 것들이 점점 사라져가는 게 느껴졌다. 처음에는 자유롭게 숲을 뛰놀던 산짐승들부터 그들의 소리, 우거진 녹음이 하나둘씩 사라지기 시작하더니 종래에는 그들을 비춰주던 싱그러운 빛들까지 잦아들었다. 그러나 이상하게도 그 존재들이 사라져가는 모습은 꿈을 잃은 사람들이 나무가 되어가는 모습과는 결이 달랐다. 두려움이나 공허함 따위는 느껴지지 않았다. 오히려 그것들이 사라질수록 기분 좋은 나른함이 둘을 감싸 안았다. 몽롱한 기분이 들면서 시야가 점점 흐려졌다.

온몸에서 느껴지는 적당한 쌀쌀함에 수경의 감각이 조금씩 돌아오기 시작했다. 그러자 꽤 가까운 거리에서 수경을 향해 웅성거리는 소리가 수경의 귓가를 자극했다. 아마 입방정 떨기를 좋아하는 몇몇 주민들이 자신을 보고 뭐라 지껄여대고 있는 거라고 수경은 생각했다. 그도 그럴 것이다 큰 여자가 아파트 입구의 계단에서 쓰러져 자고 있으니 재미랄 게 없는 이 동네에서 그런 이벤트는 모처럼의 반가운 씹을 거리였기 때문이다. 아무렴. 어차피 인사조차 나누지 않는 이곳 사람들이 얼마나 대단한 사람들이라고⋯⋯수경은 아랑곳 않고 지금의 노곤함을 조금 더 유지하기로 했다. 그러나 눈을 감고 의식을 저편으로 보내려고 할수록 웅성거림은 더욱 또렷하게 들려왔다. 결국 수경은 인상을 찡그리며 차갑고 딱딱한 느낌이 전해지는 벽에서 머리를 일으켰다. 눈을 떠 상황을 확인해보려고 했지만 여전히 눈꺼풀에 얕게 깔린 졸음으로 인해 쉽사리 떠지지는 않았다. 그래도 그러한 시도가 그녀의 감각을 더욱 빠르게 회복시켜준 덕분인지 웅성거리기만 하던 소리가 이내 조금 더 선명한 형태를 갖춘 목소리로 들려왔다. 한없이 밝고 무엇인지 모를 기대에 찬 목소리였다. 그러면서도 꽤나 귀에 익은 목소리였기에 수경은 황급히 눈을 비벼 눈꺼풀에 남아 있던 졸음을 닦아내고는 목소리가 들려오는 방향으로 고개를 들었다. 쏟아지는 이른 아침의 햇살 때문에 눈이 부셨다. 손바닥을 펼쳐 찡그려진 눈 위에 얹었다. 목소리가 들려온 그곳에는 한 여자가 수경을 향해 부드럽게 웃음 짓고 있었다.

"일어났어?"

작품 해설

당신은 지금 꿈을 꾸고 있나요?

잉크자국 편집부

들어가면서

    이 소설은 강유빈, 김예솔 연주자가 직접 기획한 동명의 리사이틀 연주회를 위해 집필, 헌정된 소설이다. 이 소설에 대해 조금 더 이야기를 하자면 치열하게 연주회를 준비하면서 직접 스토리 기획에까지 참여한 강유빈, 김예솔 연주자에게도, 또 이 소설을 직접 집필하여 두 연주자에게 헌정한 김흔, 망우 작가에게도 단연 그러하겠지만 이러한 작품을 기획하고 출판한다는 것은 다양한 예술 장르의 융복합을 지향하는 잉크자국으로서는 그 자체만으로도 상당히 의미 있는 한걸음이었다. 때문에 이 소설에 대한 후기와 해설을 편집부 차원에서 간단하게나마 덧붙이고자 한다.

꿈꾸는 삶

꿈은 일반적으로 가슴 설레는 것 혹은 삶의 의미나 원동력 정도로 묘사되지만 그건 '꿈'이라는 한 음절의 극히 일부에 불과할 뿐이다. 꿈에 조금이라도 닿기 위해 치열하게 투쟁해본 사람이라면 오히려 꿈이 일종의 족쇄나 질병에 더 가깝다고 느낄 수도 있을 것이다. 꿈을 이루어내기란 들인 노력에 대한 수지타산이 맞지 않다고 생각될 정도로 어려운 일이니까. 더욱이 꿈에 근접했다 하더라도 그 현실을 돌아본다면 본인이 그려왔던 모습과는 괴리가 있는 경우도 적지 않을 것이다.

"포기하면 편해."

알고 있다. 그러나 그게 말처럼 쉬웠다면 우리는 꿈을 꿈이라 부르지 않았을지도 모른다. 완전히 털어냈다고 할지라도 어느 정도 시간이 흐르면 아주 은밀하게 기어 나와 또다시 가슴을 간질이는 게 꿈이기 때문이다. 그렇게 결국 다시 꿈을 향해 높은 현실의 벽에 도전할 수밖에 없게 만든다. 심지어 지금의 윤택하고 안정적인 삶을 포기하기까지 하면서 벽을 향해 뛰어드는 사람도 분명 있을 것이다. 불타 죽을 걸 알면서도 빛이 보이면 달려드는 불나

방과 같이 보란 듯이 쟁취하지도, 그렇다고 깔끔하게 포기하지도 못한 채 옥죄여 고통받는다. 마치 소설 속에 등장하는 두 주인공처럼 말이다.

주인공 B는 자신의 열정을 뒷받침해주지 못하는 현실로 인해 끊임없이 좌절을 경험했던 인물로 꿈을 포기한 채 살아갈 수밖에 없는 상황 속에서 괴로워한다.

- 마치 꿈에서 도피하면 행복해질 것처럼 말했다. 그래서 B는 꿈을 잘라냈다. 그래도 행복해지지 않았다.

  – 51p

그리고 사람들은 그런 그녀를 보며, 다른 사람들도 모두 그렇게 살아가고 있다며 공허하기만 한 위로를 무심히 던진다.

어찌 보면 합리적인 말이다. 많은 사람들이 선택하는 길이란 건 그만큼 안전하면서도 효율적인 길이라는 뜻일 테니까. 특히나 생산성이 중시되는 오늘날 사회 속에서는 어쩌면 그렇게 살아가는 것이 정답일지도 모른다. 그러나 B

는 그 말을 쉽게 납득하지 못한다.

- B는 그 말을 들을 때마다 납득할 수 없었다. 단지 다른 사람들이 그렇게 산다는 이유로 자신이 왜 그렇게 살아야 하는지 인정할 수 없었다. 하지만 누구도 명확히 얘기해주지 않았다. 그저 아직 철이 덜 들었다는 식으로 넘겨버렸다.

– 52p

그렇게 조언을 해주는 이들은 과연 자신이 뱉어낸 그 말을 납득하고 있을까. 인생의 진리를 터득한 것마냥 말을 늘어놓긴 하지만 실상은 그들 또한 아직도 제대로 된 삶의 의미를 찾지 못한 채 그저 현실에 타협, 안주하고 있을 뿐인지도 모른다.

한편 주인공 A의 삶은 B에 비해 조금 더 꿈에 근접한 것처럼 보이기는 하지만 A 역시 자신이 그려왔던 모습과 현실에서의 모습의 괴리로 인해 갈등한다.

- 누구 하나 칭찬을 아끼는 사람은 없었지만 정작 그녀 앞에서 혀를 내둘렀던 사람의 거실에는 다른 작가의 작품이 걸렸다.
- "당장은 내키지 않을지 몰라도 때로는 타협해 보는 것도 좋은 방법이 될 수 있지. 본인의 그림은 언제든 그릴 수 있을 테니까 말이야."
- 그들의 입맛, 아니 사람들의 입맛에 맞게 그림을 그리는 건 A에게 있어 그다지 어려운 일은 아니었다.
- 그녀를 단숨에 유명 작가의 반열에 올려줄 정도까지는 아니더라도 섭섭지 않을 보수로 그녀의 통장을 채워주는 것쯤은 쉽게 이루어줄 수 있었다. 단 한 가지, 그들의 말마따나 내키지 않았다는 게 문제라면 문제였지만 말이다.

  $-$ 10~11p

자기 자신으로서 나아가고자 했던 이상과 팔리는 그림을 그려야 했던 현실이 바로 그것이다. 당장의 생계야 나아졌을지 모르지만 그로 인한 반작용으로 A는 점차 자신을 잃어갔다.

- 그렇게나 다양한 색깔을 사용했는데도 색깔이 없어졌다니. 아이러니한 일이었다. 그 뒤로는 정말 본인의 색깔이 무엇인지 A 자신조차도 확신할 수 없게 되었다. 더 과감한 붓터치, 더 강렬한 색채, 그럼에도 불구하고 모든 게 잿빛이 었다.

- 12p

결국 A는 자기를 잃지 않기 위해 다시 자신의 그림을 그리겠다고 선언한다. 하지만 이미 잃어버린 자아를 되찾기란 쉽지가 않았다. A는 자신을 재단하려는 주변인들을 끊어내고 온전히 자기에게만 집중하기 위해 세상의 간섭이 닿지 못하는 곳으로 들어가기까지 해보지만 A의 주위에는 고립만이 남아 있을 뿐이었다.

상실의 세계와 생명력의 회복

현실에서의 문제를 해결하지 못한 두 주인공은 꿈속의

세계—숲에 갇히게 된다. 작중에서 숲은 겉보기에는 아름다운 곳으로 묘사되는데 이는 숲이라는 세계가 일종의 도피처로서 기능하고 있음을 시사한다. 그러나 두 주인공은 아름다움 속에서 한없이 적막하고 꺼림칙한 기분이 드는 곳이라는 걸 깨닫게 된다. 더욱이 두 주인공은 그곳에서 사람이 나무로 변해가는 기괴한 광경까지 목격하게 되는데,

- 이곳은 상실한 자들의 세계, 바로 그런 나무들로 이루어진 곳이야.

  - 58p

- 여기는 꿈을 포기한 죄인들이 오는 숲이야.

  - 66p

이를 통해 두 작가는 꿈을 저버린 채 겪고 있는 문제로부터 도피하는 것은 근본적인 해결책이 되어주지 못한다는 의미를 전한다. 작중 내용에 따르면 도피하는 삶은 되려 사회에 매몰되어 자아나 생명력을 상실한 채 딱딱하게 굳어가는 결과를 낳을 뿐이다.

한편 소설이 시작된 이래 절정으로 치닫는 순간까지 두

주인공은 각각 '수경'과 '서윤'이라는 이름을 가지고 있음에도 불구하고 이름이 아닌 'A'와 'B'로 명명된다. 본디 사람의 이름이란 그 사람의 자아 정체성을 대표하는 요소라고 할 수 있기에 이러한 내용을 통해서도 꿈의 상실과 도피는 곧 자아 정체성과 생명력의 상실이라는 의미를 시사하고 있다.

이후 두 주인공은 숲에서 서로를 만나 자신의 이야기를 털어놓기도, 그로 인해 갈등하기도 한다. 이때 그들은 서로에 대한 철저한 타자의 위치에서 서로를 바라보고, 그러한 서로의 시선 속에서도 자신을 잃지 않기 위해 결코 물러서지 않는다. 때문에 여기에서의 갈등은 단순히 두 주인공 간의 갈등으로만 끝나지 않는다는 사실을 알 수 있다. 그들의 갈등은 둘만의 갈등을 넘어 자신을 객체화하여 마음대로 재단하려는 세상과의 자존自存을 위한 투쟁이다.

이즈음에서부터 소설의 시점이 3인칭에서 1인칭으로 전환되고 두 주인공의 이름도 '수경'과 '서윤'이라는 본래의 이름으로 명명되기 시작한다. 두 주인공이 갈등과 투쟁 속에서 그동안은 살피지 않았던 자신의 내면을 마주함으로써 무의식 속에 있던 그림자와 콤플렉스를 극복하고 진정한 자기를 회복해낸것이다.

수경의 경우 혜정을 항상 동경, 원망하며 그녀를 내세워 스스로를 회피하던 서윤에게 자기 자신을 직면할 수 있게 해줌으로써 자아 회복의 발판을 마련해준다. 덕분에 서윤은 스스로가 포기해버리지 않는 이상 결코 끝나는 것은 없을 거라는 사실을 깨닫고 오로지 자신만의 빛으로 꿈을 향해 뻗어갈 수 있도록 의지를 발현해낸다. 비로소 타자에 의한 삶에서 주체적 삶을 회복한 것이다.

- 동경했다. 눈부신 그들을 좋아했다. 나도 별로 태어났는데 빛이 약해, 다른 이들이 알아주지 않는 것 같았다. 그래서 밝게 빛나는 별 옆에 있었다. 그러면 나도 봐줄 테니까. (중략) 그러나 아무리 그렇게 한들 그게 내 빛은 아니었다. 오히려 밝은 빛 바로 옆에 있는 약한 빛은 더 큰 빛에 잡아먹힐 뿐 자신의 존재를 어디에도 각인시킬 수 없었다. 더욱이 나는 혜정이라는 커다란 광원을 마치 내 것인 양 생각하고 스스로 빛을 내고 있다고 착각했다. 그래서 그 빛이 흩어진 순간 원망할 수밖에 없었다. 그 순간 내

빛도 함께 흩어졌다고 생각했으니까. 이 또한 착각이었다. 그게 내가 좌절할 이유는 아니었다. 여전히 빛은 내 안에 있었으니까. 그 빛이 미약할지라도 내가 빛을 내는 걸 포기하지만 않는다면 그 빛은 절대 사라지지 않을 테니까.

- 109p

한편 서윤은 물리적, 정신적으로 고립되어 스스로에 완전히 갇혀 있던 수경에게 잊히었던 초심을 돌아보게 하고 그를 통해 주변을 둘러볼 수 있는 단초를 제시해준다. 이로써 수경은 자기 자신에 대한 고립을 극복하고 다시 넓은 세계로 뻗어갈 수 있게 된다.

- 아무도 듣지 않는 이야기는 그저 입가에만 머물 뿐이다. 많은 사람들이 귀를 기울여야 비로소 이야기로 기능할 수 있다. 때문에 이야기꾼은 본인이 하고 싶은 이야기가 아닌 사람들이 듣고 싶어하는 이야기를 해줘야 한다. 그건 비단 이야기꾼만의 문제는 아니다. 그림을 그리는 사람도, 노래하는 사람도 마찬가지다. 어쩌면

내가 간섭이라고 생각했던 여러 사람들의 이야
기들도 내 그림이 나만의 그림이 아닌, 나눌 수
있는 그림이 될 수 있도록 방향을 안내해줬던
게 아니었을까. 그림이 팔리기 시작했던 것도
그때부터였고, 내 그림을 그리겠다 선언하면서
부터 점점 더 기괴한 그림이 그려지기 시작했
던 것도 사실이었으니까.

- 100p

어쩌면 우리 모두의 이야기

앞서 언급한 바와 같이 이 소설은 강유빈, 김예솔 연주
자의 리사이틀 연주회를 위해 기획, 집필된 작품인 만큼
소설에 등장하는 두 주인공은 두 연주자를 모티브로 하여
만들어진 인물이다. 그러나 두 인물 중 누가 어떤 연주자
를 대변하고 있는지는 명확하지 않다. 그 구분은 두 연주
자가 준비한 공연 〈드림 포:레스트〉와 그에 대한 인터뷰
를 살펴보면 더욱 모호해진다. 이는 작중 인물이 꼭 두 연
주자 중 한 명만을 대변하기 위해 설계된 인물이 아님을

보여주는 대목이다. 두 인물이 서로에 의해 꿈과 자아를 회복하면서 서로가 아닌 우리로의 합일을 이루게 되기에 더더욱 그렇다.

- 비로소 둘은 서로의 손을 맞잡았다. 부드러운 피부의 감촉 너머로 서로의 온기가 혈관을 타고 온몸 곳곳으로 전해졌다. 그러자 밝은 햇살이 하늘을 가득 메우고 있던 나뭇잎들 사이로, 그리고 수경과 서윤의 머리 위로 쏟아져 내렸다. 보랏빛 숲은 어느덧 싱그러운 초록의 세계가 되어 빛이 닿지 않는 곳이 없었다. 미처 시야가 닿지 않는 먼 곳에서는 새들이 조잘거리는 소리와 이제 막 밤잠에서 깨어난 산짐승들이 태동하는 소리가 들려왔다. 가슴 깊이 숨을 들이마시면 녹내음 가득한 맑은 공기가 폐를 가득 채워주었다. 이 숲에 처음 들어왔을 때 느꼈던 꺼림칙한 기분은 더 이상 남아 있지 않았다.

  - 114p

사실 이 이야기의 두 주인공은 각각의 인물이 두 연주자 모두를 대변하고 있는 것이다. 이 작품을 직접 집필한 김흔 작가와 망우 작가의 이야기도 녹아 있음이 분명하다. 그리고 지금껏 꿈을 품고 달려온 당신의 이야기까지도. 그런 의미에서 이 작품은 비단 누군가만의 이야기가 아닌 우리 모두의 이야기인 것이다.

이 작품의 결말을 살펴봐도 두 주인공의 꿈이 어떻게 되었다는 걸 알려주는 대목은 어디에도 나와 있지 않다. 두 작가가 명확하게 결말을 내주지 않은 것 역시 이 소설이 두 연주자, 그리고 두 작가만의 이야기가 아닌 꿈을 꾸는 사람들 모두의 이야기이기 때문이 아닐까.

당신은 지금 꿈을 꾸고 있나요?

꿈을 꾼다는 것은 불확실한 길을 따라 세상에 끊임없이 투쟁하며 나아가는 기나긴 여정이다. 그리고 이 여정은 우리가 꿈을 얘기할 때 흔히 생각하는 것처럼 마냥 아름답지만은 못하다. 오히려 한없이 처절하고 때로는 자기를 잃어버릴 수도 있을 정도로 위험한 길이다. 처음부터 이 길

위에 서지 않는 게 현명해 보일지도 모른다.

자, 그렇다면 당신은 어떻게 할 것인가. 그 모든 걸 알면서도 고통스러운 길을 꾸역꾸역 걸어갈 것인가, 아니면 자기 자신을 억눌러 다시금 기어 나올 수도 없을 정도로 깊은 곳에 처박아두고는 옆으로 난 매끄러운 도로로 우회해갈 것인가. 선택은 오롯이 당신들의 몫. 우리로서는 어떤 게 옳은 길인지 단언할 수도, 특정한 길로 갈 것을 강요할 수도 없는 일이다. 다만 당신들이 후자의 길을 걸어간다면 편안하게 앞으로 나아갈 수 있을지는 몰라도 그 여정이 당신의 가슴을 뛰게할 수는 없을 거라는 것쯤은 분명하게 이야기할 수 있을 것 같다. 만약 당신들이 안락한 길을 뒤로한 채 기꺼이 그 험난한 길을 개척하겠다고 한다면 비로소 그 길의 끝에 도달했을 땐 그 누구보다 밝게 웃음 지을 수 있으리라.

그렇기에 우리는 당신이 지금 가슴에 품고 있는 그 꿈을 잃어버리지 않길 바란다. 꿈을 향한 당신들의 여정이 너무나도 지치고 힘들어 꿈을 포기하고 싶을 땐, 적어도 포기가 아닌 잠시 내려두는 선택을 할 수 있기를 소망한다.

여정 끝에 선 당신의 환한 미소가 당신을 뒤따라오는

누군가에게는 다시 일어서서 걸어갈 수 있는 힘이 되어줄 수 있기에.

드림 포:레스트
ⓒ 김 혼, 망 우 2024

발　행 | 2024년 08월 23일
저　자 | 김 혼, 망 우
스토리기획 | 김 혼, 망 우, 강유빈, 김예솔
디자인 | 강유빈
편　집 | 잉크자국 편집부
펴낸이 | 김도현
펴낸곳 | 문화두레 잉크자국
출판사등록 | 2023.12.13.(제2023-000007호)
주　소 | 경상북도 영주시 부석면 소백로 3912
이메일 | inkstains@naver.com

ISBN | 979-11-986070-2-7